ÉCRAN DE FUMÉE

DICK FRANCIS

ÉCRAN
DE FUMÉE

TRADUIT DE L'ANGLAIS
PAR MADELEINE BAST

ÉDITIONS J'AI LU

Ce roman a paru sous le titre original :

SMOKESCREEN

© Dick Francis, 1972
Pour la traduction française :
© Belfond, 1987

1

La sueur, la soif, la chaleur, l'inconfort et la fatigue, à la limite du supportable.

Cynique, je fais l'inventaire de mes maux.

Il est écrasant, à tout point de vue.

Je suis assis sur le siège du conducteur d'une voiture de sport hors série, aux lignes aérodynamiques, jouet délaissé d'un fils de cheik. Cela fait pratiquement trois jours entiers que je suis à cette place. Devant moi, la plaine torride s'étend jusqu'à de lointaines collines aux tons de brun et de mauve, dont les formes tassées demeurent rivées au même horizon, heure après heure, car la *Special* 250 km chrono ne bouge pas.

Ni moi. Je contemple d'un œil morose les menottes, solides et luisantes, qui enserrent mes poignets. Un bras passé à l'intérieur du volant et l'autre à l'extérieur, je suis, par le fait, enchaîné, prisonnier de la voiture.

Sans compter un détail : la *Special* ne peut démarrer qu'une fois attachée la ceinture de sécurité. Malgré l'absence de clé de contact, la ceinture est bien en place, une sangle en travers de mon ventre, l'autre en diagonale sur mon torse.

J'ai les jambes dans la position allongée qu'imposent les voitures de sport et je ne peux pas les ramener vers moi pour casser le volant avec les pieds. J'ai essayé. Je suis trop grand, il m'est impossible de plier suffisamment les genoux. D'ailleurs, ce volant n'est pas fait d'une matière plastique cassable. Quand on fabrique une voiture aussi ostensiblement coûteuse que la *Special,* on ne va pas l'équiper d'une camelote de volant en plastique. Celui-ci est du type petit diamètre, en métal gainé de cuir, aussi solide qu'un coffre-fort.

J'en ai plus qu'assez d'être dans cette auto. Chaque muscle de mes jambes, de mon dos, de mes bras proteste contre cette inertie. La pression croissante d'une barre derrière mon front se transforme en un mal de tête lancinant.

Le moment est venu de fournir un dernier effort désespéré pour me libérer, même si mes nombreuses tentatives précédentes m'ont montré que c'était impossible.

Je tire, je m'arc-boute, je m'attaque de toutes mes forces aux sangles et aux menottes. Je me débats si fort que la sueur ruisselle sur mes tempes, mais je ne parviens toujours pas à progresser d'un millimètre en direction de la liberté.

Laissant aller ma tête contre l'appui-tête rembourré, je tourne mon visage vers la vitre ouverte près de moi, sur ma droite.

Je ferme les yeux, je sens les rayons du soleil me frapper la joue, le cou, l'épaule avec toute l'ardeur de trois heures de l'après-midi en juillet, par 37° de latitude Nord. Ils me brûlent la paupière gauche. Mon front se creuse de rides de colère et de souffrance, ma bouche marque l'amertume, un petit muscle fait tressauter ma mâchoire, et je déglutis, désespéré.

Après quoi, je ne bouge plus. J'attends.

La plaine désertique est très silencieuse.

J'attends.

– Coupez ! cria enfin Evan Pentelow, manifestement à contrecœur.

Les opérateurs s'écartèrent de l'œilleton. Pas un souffle de vent sur la toile éclatante des parasols qui les abritaient avec leur équipement. S'éventant vigoureusement à l'aide de son découpage, Evan créait la brise que la nature avait omis de fournir, et les autres membres du groupe, à l'ombre des abris mobiles en polystyrène vert, revenaient mollement à la vie, vidés depuis longtemps de leur énergie par la chaleur implacable. L'ingénieur du son ôta de ses oreilles son casque qu'il accrocha au dossier de sa chaise, il tripota les boutons de son Nagra et les électros éteignirent charitablement le paquet de projecteurs qui renforçaient l'action du soleil.

Je tournai mon regard vers l'objectif de l'Arriflex qui, braquée à deux mètres de mon épaule droite, avait filmé tous les pores de ma peau en sueur. Derrière sa caméra, Terry s'épongeait le cou avec un mouchoir pendant que Simon complétait son rapport « Négatif Image » pour le labo.

Un peu en retrait, sous un angle différent, la Mitchell avait enregistré la même scène sur les trois cents mètres de pellicule de son magasin. Lucky, le cadreur, s'appliquait depuis le petit déjeuner à ne pas croiser mon regard. Il me croyait en colère contre lui parce que la pellicule tournée la veille avait été voilée, même s'il jurait que ce n'était pas sa faute. Je lui en avais demandé la cause sans aucune acrimonie, simplement pour qu'on fasse en sorte qu'un tel accident ne risque pas de se reproduire aujourd'hui : je ne pensais pas pouvoir supporter beaucoup de prises supplémentaires du plan 623.

Depuis lors, nous l'avions déjà tourné six autres fois. Avec, j'en conviens, la courte pause du déjeuner.

Evan Pentelow s'était excusé à maintes reprises, auprès de tout le monde, d'être obligé de refaire indéfiniment ce plan jusqu'à ce que je le joue comme il le souhaitait. Toutes les deux prises, il changeait d'idée sur ce qu'il recherchait au juste et, malgré mon respect scrupuleux de la plupart de ses indications toujours plus détaillées, il n'avait pas encore daigné une seule fois se déclarer satisfait.

Au sein de l'équipe venue dans le sud de l'Espagne terminer le tournage en extérieur, chacun percevait l'animosité que dissimulait sa politesse contrainte quand il s'adressait à moi, aussi bien que la mienne quand je lui répondais. Je savais que les techniciens avaient engagé des paris sur le temps qui s'écoulerait avant que je ne laisse éclater ma colère.

La fille chargée de la précieuse clé de mes menottes quitta le plus éloigné des abris où la script-girl, la maquilleuse et l'habilleuse étaient assises, ou plutôt écroulées, sur des serviettes de toilette, et se dirigea vers moi à l'allure d'un escargot. Les cheveux collés à son cou ou en vrilles mouillées, elle se pencha enfin pour ouvrir la portière et glisser la clé dans la serrure. C'étaient des menottes réglementaires de la police britannique, qui fermaient avec un système à vis, assez dur, au lieu d'un simple cliquet, et la fille avait toujours du mal à donner le tour de clé décisif.

Elle me guettait avec inquiétude, sachant que je ne me contiendrais pas indéfiniment. J'obtins de mes muscles zygomatiques l'esquisse d'un sourire et, soulagée de ne pas se faire engueuler, elle me les enleva rapidement.

Je détachai la ceinture de sécurité et me mis debout avec raideur, au grand soleil. Il faisait bien six ou sept degrés de moins qu'à l'intérieur de la *Special*.

— Remontez à bord, dit Evan. Il faut refaire la prise.

J'aspirai une grande goulée de bon air du Sahara et comptai mentalement jusqu'à cinq avant de répondre :

— Je fais un saut à la caravane pour avaler une bière et pisser un coup, et on recommence.

Une telle réaction était insuffisante pour que les techniciens se décident à répartir les gains du pari mutuel. Tout juste pouvait-on déceler là une petite fissure dans le volcan, pas l'éruption de l'Etna. Je me demandais si on accepterait que je mise aussi sur ma propre résistance.

Personne n'avait pris la peine de mettre la bâche sur la Mini-Moke pour l'abriter du soleil. Quand je m'assis dans le petit buggy garé derrière le plus vaste des abris, la brûlure du siège, à travers le coton léger de mes vêtements, m'arracha un juron. Avec le volant on aurait pu marquer un veau.

J'avais retroussé jusqu'au genou les jambes de mon pantalon et j'étais chaussé de sandales. Cela faisait un drôle de contraste avec la chemise blanche classique et la cravate sombre que je portais en même temps, mais la caméra Arriflex me cadrait à partir des cuisses et la Mitchell, encore plus haut, au-dessus de la taille.

Sans hâte, je conduisis jusqu'aux caravanes, garées en demi-cercle, dans un creux à quelque deux cents mètres de là. Un fantôme d'arbre projetait l'ombre d'une ombre qui valait mieux que rien pour la voiture, et je gagnai à pied la roulotte qui me tenait lieu de loge.

À l'intérieur, l'air conditionné me tomba dessus comme une douche froide, merveilleuse sensation. Après avoir desserré ma cravate, défait le premier bouton de ma chemise et pris une boîte de bière dans le réfrigérateur, je m'affalai sur la couchette pour la déguster.

Evan Pentelow était en train de régler à mes dépens un arriéré de rancune et, malheureusement, je ne disposais d'aucun moyen de l'en empêcher. Je n'avais travaillé avec lui qu'une fois auparavant, sur son premier long métrage qui était pour moi le septième, et le temps d'arriver au bout du tournage nous nous haïssions. Par la suite, mon refus d'interpréter un seul film dont la réalisation lui aurait été confiée n'avait rien

9

arrangé, en l'excluant de deux gros succès qui auraient pu, sinon, être portés à son actif.

Evan était le chouchou de ces critiques qui se figurent qu'un comédien est incapable de jouer si le metteur en scène ne lui indique pas par le menu ce qu'il a à faire. Il n'était pas maître d'œuvre à moitié : il aimait qu'on dise, en parlant de ses films, « le dernier Evan Pentelow » et, pour y parvenir, il persuadait le pigeon que c'était le produit, seconde par seconde, de son seul talent. À l'acteur le plus expérimenté, Evan n'hésitait pas à enseigner son métier. Il ne discutait jamais de l'interprétation d'une séquence, de l'inflexion à mettre sur un mot. Il ordonnait.

Il avait eu raison de quelques grands noms, gratifiés grâce à lui dans la presse d'appréciations du type « Pentelow a su obtenir de Mlle Gourde Quatrétoiles une touchante prestation »... Quand il tombait sur quelqu'un comme moi qui ne se laissait pas faire, il ne pouvait pas l'encaisser.

C'était un remarquable metteur en scène, je dois en convenir, grâce à une extraordinaire imagination visuelle. Les acteurs, pour la plupart, aimaient tourner avec lui, car leurs cachets étaient importants et ses œuvres ne passaient jamais inaperçues. Il fallait être une tête de mule dans mon genre pour se cramponner à la conviction qu'au moins les neuf dixièmes du jeu de l'acteur doivent venir de lui.

Je lâchai un soupir, vidai ma bière, allai pisser et regardai la Mini-Moke. Le char d'Apollon sillonnait toujours de sa course ardente le ciel incandescent, aurait-on pu dire – à condition d'être porté sur ce style-là.

Au départ, nous avions commencé à tourner ce super-film d'aventure et de suspense sous la direction d'un réalisateur distingué, à la parole tranquille, qui éclusait en général son premier verre avant le petit déjeuner et qui mourut un jour debout, à dix heures du matin, d'un abus de scotch. C'était arrivé durant un week-end de repos que j'avais passé tout seul à marcher dans les collines du Yorkshire. Le mardi, à mon retour sur le lieu de tournage, j'avais trouvé Evan installé à sa place, qui faisait déjà peser son joug sur l'équipe.

Il restait à tourner environ un huitième du film. Le sourire glacial du cinéaste, quand il m'avait accueilli, équivalait à une déclaration de guerre.

Mes protestations auprès de la production ne m'avaient valu que des propos lénifiants.

— Personne d'autre de ce calibre n'était disponible... Aujourd'hui, on ne peut plus courir de risques avec l'argent de nos bailleurs de fonds, n'est-ce pas... Il faut avoir un point de vue réaliste... Bien sûr, Link, nous savons bien que vous refusez d'habitude de travailler avec lui, mais là, il y a urgence, bon sang... D'ailleurs, ce n'est même pas spécifié dans votre contrat, cette fois, je vous le signale : j'ai vérifié... Bref, pour tout dire, on s'en remet à votre esprit coopératif...

— Et aussi au fait qu'il y a quatre pour cent des recettes qui doivent tomber dans ma poche ?

Le producteur se racla la gorge.

— Oh, nous ne nous serions pas permis de vous le faire remarquer, mais puisque c'est vous qui en parlez... Ma foi, oui.

Amusé, j'avais fini par céder, mais non sans appréhension, d'autant qu'il restait à réaliser les séquences en extérieur avec la voiture. J'étais sûr qu'Evan ne faciliterait pas les choses. Mais je ne m'étais pas douté qu'il frôlerait le sadisme.

J'arrêtai la Moke à côté de l'abri et la recouvris avec la bâche pour l'empêcher de rôtir. Mon absence avait duré douze minutes montre en main, mais quand je pénétrai sous l'auvent, Evan était en train de s'excuser auprès de l'équipe de ce que je les faisais attendre par une telle chaleur. Terry esquissa un geste de dénégation : il avait à peine fini, visiblement, de recharger dans son

Arriflex le magasin qui sortait de la glacière. Personne ne prit la peine de discuter. Par quarante degrés à l'ombre, seul Evan gardait son énergie intacte.

– Bon, enchaîna-t-il. Reprenez votre place, Link. Plan numéro six cent vingt-trois, dixième prise. Et, par pitié, faites ce que vous avez à faire, cette fois.

Je me tus. Sur les neuf prises précédentes, il y en avait eu trois de voilées; restaient les six déjà tournées aujourd'hui, dont je savais, comme tout le monde ici, qu'Evan aurait pu utiliser n'importe laquelle.

Je montai dans la *Special*. On refit le plan deux fois d'affilée.

Evan trouva encore moyen de secouer la tête d'un air dubitatif, mais le directeur de la photo lui dit que la lumière commençait à changer et que, même si on en tournait de meilleures, les prises suivantes ne serviraient à rien parce qu'elles ne pourraient pas raccorder avec les autres plans de la séquence. Evan ne renonça que faute de trouver un argument valable pour continuer, et j'adressai, pour ma part, une pensée reconnaissante à Apollon.

L'équipe entreprit de lever le camp. La fille me débarrassa de mes menottes sans hâte excessive. Deux hommes à tout faire se mirent à emballer la *Special* dans des housses de protection contre la poussière et une bâche fixée au sol, pendant que Terry et Lucky démontaient leurs caméras et les rangeaient dans leurs caisses afin de les emporter pour la nuit.

Par petits groupes, tous repartirent vers les caravanes. J'emmenai Evan dans la Moke sans lui adresser une seule fois la parole. Le car était arrivé de la petite ville voisine de Madroledo, amenant les deux veilleurs de nuit. Le mot « car » était un peu emphatique; c'était une vieille navette d'aéroport, avec beaucoup de place pour le matériel et un confort minimal pour les passagers. À en croire les gens de la production, ils avaient demandé un car de luxe équipé d'air conditionné, mais on leur avait fourgué cette guimbarde.

L'hôtel de Madroledo où était logée toute l'équipe appartenait, grosso modo, à la même catégorie. À l'écart des itinéraires touristiques, la petite ville de l'intérieur des terres disposait d'un équipement d'accueil dont l'insuffisance aurait même fait reculer les responsables d'un quelconque voyage organisé; mais la régie n'avait pu faire autrement que de nous installer là, nous affirmait-on, parce que les meilleurs hôtels de la côte, à Almeria, étaient entièrement réservés aux centaines d'Américains qui tournaient une super-production de style western dans le bout de désert voisin du nôtre.

À vrai dire, je préférais de beaucoup même les mauvais moments de ce tournage au dernier navet dans lequel je m'étais trouvé embarqué, une histoire d'escalade en montagne qui m'avait fait passer des jours et des jours accroché à des surplombs pendant que les machinos me déversaient sur la tête des trombes de pluie. Ça ne m'avançait jamais à grand-chose de me plaindre des épreuves physiques qui m'étaient infligées. Pour moi qui avais débuté comme cascadeur, me répliquait-on, qu'était-ce qu'un petit coup de froid, un petit coup de chaud ? « Allez, monte vite sur ton surplomb, monte vite dans ta voiture. Tu n'as qu'à penser au matelas de gros billets que tu amasses pour dorloter plus tard tes rhumatismes. Ne t'inquiète pas, on ne te laissera pas courir de risques sérieux, tant que les primes d'assurance seront aussi élevées et que tes films amortiront leur coût de production dès le premier mois d'exploitation. » Ce sont des gens charmants, ces producteurs, avec des prunelles en forme de dollars et une caisse enregistreuse à la place du cœur.

Rafraîchie, dépoussiérée, toute l'équipe se

retrouva pour l'apéritif dans le bar américain façon Madroledo. Là-bas dans la nuit chaude de la plaine, la *Special* reposait sous les feux croisés des projecteurs de surveillance, enveloppée dans ses housses, ayant fini de servir pour aujourd'hui. Demain soir ou le surlendemain au plus tard, pensai-je, nous aurions terminé toutes les prises de vues pour lesquelles il fallait que je reste coincé au volant. Pourvu qu'Evan ne trouve pas de prétexte pour refaire le plan 626, il ne me resterait que le 624 et le 625 à tourner, c'est-à-dire l'arrivée des secours providentiels. Le 622 et le 621, où l'on voyait le héros, émergeant de sa torpeur, prendre conscience de sa pénible situation, étaient déjà dans la boîte ainsi que les vues de l'hélicoptère, tournant en cercles de plus en plus serrés au-dessus de la *Special* pour montrer son isolement désertique et laisser entrevoir l'homme affaissé au volant. Ces images allaient servir d'ouverture au film et de fond de générique, amenant toute l'histoire en *flash-back* pour expliquer comment et pourquoi l'automobile et l'homme assis à l'intérieur étaient arrivés là.

Dans le bar américain, Terry et le directeur de la photo entretenaient une conversation décousue sur les mérites comparés des diverses longueurs de focale, et ponctuaient chacune de leurs judicieuses considérations d'une lampée de sangria. Le directeur de la photo, encore nommé chef opérateur, bref l'homme des lumières, prénommé Conrad, me tapota l'épaule et me mit dans la main un verre presque frais. Nous avions tous pris goût à ce coupe-soif local, un vin rouge du pays additionné de quelques fruits et dilué de glaçons.

— Tiens, mon petit, c'est un remède miraculeux contre la déshydratation. Je disais donc, enchaînat-il à l'intention de Terry, qu'il a pris un 18 mm grand angle et que, du même coup, toute la tension de la scène est partie en fumée.

Fort de l'Oscar qui ornait sa cheminée, Conrad appelait tout le monde « mon petit », du P-D G au coursier de service. Tirant profit de sa voix de basse, sonore de nature, et d'une moustache tombante qu'il cultivait avec soin, il s'était taillé une réputation de « personnage à part » dans un métier qui en compte déjà une multitude; mais derrière la façade haute en couleur veillait l'agilité d'esprit du technicien au regard analytique, qui découpait la vie en vingt-quatre images par seconde et pensait en Eastmancolor.

– Chez Beale Films, dit Terry, ils ne veulent plus l'employer depuis le jour où il a tourné six cents mètres de pellicule à Ascot sans filtre 85, alors que les prochaines courses au programme là-bas avaient lieu un mois après la date limite de fin de film.

Terry était un gros homme chauve, âgé d'une quarantaine d'années, qui avait renoncé à son ambition de jeunesse : devenir directeur de la photographie, avoir son nom en grosses lettres au générique. À défaut de quoi il avait réussi à être un technicien hors de pair, qui travaillait sans arrêt, et Conrad était toujours content de l'avoir comme cadreur.

Simon les ayant rejoints, Conrad lui tendit aussi un verre de sangria. À vingt-trois ans, cet assistant de Terry n'avait pas encore acquis l'assurance qu'il aurait dû posséder, et se montrait parfois d'une telle naïveté qu'on songeait à un retard mental. Sa fonction consistait à faire les claps au début de chaque prise, à noter soigneusement le métrage et le type de pellicule utilisés, ainsi qu'à recharger de pellicule vierge les magasins qui garnissent les caméras.

C'était Terry en personne qui lui avait enseigné ce dernier travail, pour lequel il faut enrouler le début de la pellicule vierge sur la bobine vide, dans une obscurité totale, rien qu'au toucher. On commence toujours par apprendre au grand jour avec de la vieille pellicule exposée, et on s'exerce indéfiniment, jusqu'à ce qu'on le fasse sans peine, les yeux fermés. Quand Simon y était parvenu, Terry l'avait envoyé charger pour de bon et c'était après une longue journée de tournage qu'on s'était aperçu, au laboratoire, que tout était complètement noir.

Simon avait apparemment fait exactement comme on lui avait appris : dans le réduit sans fenêtre réservé à cet effet, il avait chargé son magasin avec beaucoup de soin, les yeux fermés. En laissant la lumière allumée !

Il but une gorgée de son réhydratant vermeil, nous contemplant d'un air désemparé; puis il finit par prendre la parole :

– Evan m'a fait marquer « TOUT À TIRER » sur la totalité de ce qu'on a fait aujourd'hui. Mais enfin, demanda-t-il face à l'absence totale de surprise sur le visage de ses interlocuteurs, si toutes les premières prises étaient bonnes, pourquoi diable est-ce qu'il a voulu en tourner encore un si grand nombre ?

Le seul à lui répondre fut Conrad, qui le regardait d'un air apitoyé.

– Il va falloir que tu trouves ça tout seul, mon petit.

Mais Simon n'était pas armé pour une telle réflexion.

Le bar occupait une salle vaste et fraîche, aux murs badigeonnés à la chaux, au sol carrelé de brun. C'était parfait pendant la journée, où nous nous y trouvions rarement, mais plutôt dur le soir, à cause de la lumière crue des tubes au néon. Languissamment assises autour d'une table devant leurs verres de *bitter lemon* et de Bacardi – noyé dans de l'eau gazeuse, les quatre femmes de l'équipe prenaient un teint de plus en plus verdâtre à mesure que le jour déclinait au-dehors, et vieillissaient de dix ans. Des ombres accusaient les poches sous les yeux de Conrad, et le menton de Simon fuyait de plus en plus.

Encore une soirée interminable en perspective, toute pareille aux neuf précédentes : des heures passées à parler boulot et à répéter des ragots, ponctuées de cognacs, de cigares et d'un dîner au menu espagnol. Je n'avais pas de texte à apprendre pour le lendemain, puisque ma contribution orale aux plans 624 et 625 devait se borner à une variété de plaintes sourdes et de grommellements informes. Bon sang, quelle joie ce serait de rentrer chez moi !

On nous servait le dîner dans une salle à manger réservée, aussi peu engageante que le bar. Je me retrouvai assis entre Simon et la préposée aux menottes, vers le bout de la longue table autour de laquelle nous prenions tous place comme cela se présentait. À peu près vingt-cinq personnes, tous des techniciens sauf moi et l'interprète du rôle du paysan mexicain qui devait arriver à ma rescousse sur son cheval. L'équipe avait été réduite au minimum, et notre séjour planifié pour durer le moins longtemps possible : la production aurait préféré qu'on tourne même les scènes de désert aux studios de Pinewood comme le reste du film, ou au moins qu'on se contente d'un coin aride de l'Angleterre; mais le premier metteur en scène, paix à son âme, s'était battu pour obtenir à l'écran la vibration authentique de la vraie chaleur.

Une place était restée vide à l'autre extrémité de la table.

Evan manquait à l'appel.

— Il est au téléphone, expliqua la préposée aux menottes. Il n'en a pas bougé, je crois, depuis que nous sommes rentrés.

Bizarre. Evan appelait presque tous les soirs la production; mais, en général, cela ne durait pas longtemps. Peut-être avait-il du mal à obtenir la communication.

— Je serai contente de rentrer, soupira la fille.

S'étant fait une fête de son premier tournage en extérieur, elle n'éprouvait que déception :

c'était ennuyeux, la chaleur était écrasante et il n'y avait pas moyen de se distraire. Jill – c'était son vrai nom, mais presque toute l'équipe, à l'instar d'Evan, l'appelait « Menottes » – Jill, donc, me coula un regard en biais avant d'ajouter :

– Pas vous ?

– Si, si, répondis-je sans me compromettre.

Assis en face de nous, Conrad renifla bruyamment.

– Menottes, mon petit, tu triches. Pas le droit de l'asticoter sous peine de perdre sa mise.

– Je ne l'ai pas asticoté !

– Il s'en faut d'un cheveu.

Sarcastique, j'en profitai pour m'informer :

– Vous êtes combien dans le coup, au juste ?

– Tout le monde sauf Evan, convint joyeusement le chef opérateur. Ça fait un joli petit paquet.

– Et y en a-t-il déjà qui ont perdu leur pari ?

Conrad gloussa.

– La majorité, mon petit. Cet après-midi.

– Et toi ?

L'œil rétréci, il me regarda en penchant la tête sur le côté.

– Tu as un caractère à tout démolir, mais ce serait plutôt pour prendre la défense de quelqu'un d'autre.

– Il ne peut pas répondre à votre question, m'expliqua Jill, c'est aussi interdit par le règlement.

Mais c'était le quatrième film que je tournais avec Conrad et il m'avait bel et bien confié dans quel sens il avait parié.

Evan nous rejoignit enfin, gagnant d'un pas résolu la place vide, et il attaqua sans traîner son potage à la tortue. Concentré sur ses pensées, il contemplait la tablée sans entendre ou sans avoir envie d'entendre les propos oiseux de Terry.

J'observais pensivement le metteur en scène. La quarantaine, taille moyenne, muscles noueux, on le sentait bourré d'une énergie agressive. Il avait les cheveux bruns, frisés, indisciplinés, un visage où même les os exprimaient la détermination et des yeux d'un marron incandescent. Ce soir, il était totalement absorbé par ses pensées; l'activité tumultueuse qui régnait dans sa tête se manifestait par son état de contraction musculaire. Ses doigts se crispaient sur la cuiller, son cou et son dos étaient raides comme un bambou.

Je n'aimais pas son caractère excessif, à aucun moment, en aucune circonstance. Il provoquait toujours chez moi une réaction irrationnelle, l'envie de ne pas faire ce qu'il exigeait, même quand le bon sens plaidait pour lui. Ce soir, il semblait particulièrement sous pression et mon antipathie s'accentuait d'autant.

Il engloutit sans faiblir la paella à l'anglaise qui suivit et écarta son assiette d'un geste sans appel.

– Alors voilà... dit-il, et tout le monde se tut.

Sa voix résonnait, claire et forte; la tension interne la faisait monter d'un ton. Personne, dans cette pièce, n'aurait pu s'abstenir de l'écouter.

– Comme vous le savez, le film que nous sommes en train de faire s'appelle *L'Homme dans la voiture*.

Nous le savions, merci.

– Et vous savez aussi que la voiture était présente dans au moins la moitié des plans qui ont déjà été tournés.

Cela aussi, nous le savions, et mieux que lui, puisque nous, nous étions dans le coup depuis le début.

– Voilà, reprit-il avant de marquer une pause pour chercher les regards. J'ai parlé au producteur, il est d'accord avec moi... Je veux changer l'équilibre du film... en modifier complètement la construction. Il va comporter plusieurs *flash-backs* au lieu d'un seul. Chaque fois, l'histoire sera relancée par la scène dans le désert et chacune de ces petites séquences donnera le sentiment du temps qui passe, montrera l'homme qui s'affaiblit. Le sauvetage n'aura pas lieu. Ce qui signifie malheureusement pour vous, Stephen, dit-il en regardant en face l'autre acteur, que votre rôle va sauter, mais vous toucherez naturellement l'intégralité de votre cachet. (Il se tourna de nouveau vers le reste de l'équipe.) Nous allons supprimer cette séquence « détendue et spirituelle », de retrouvailles avec la fille, que vous aviez tournée à Pinewood. Au lieu de quoi nous terminerons le film par les plans du début, inversés. C'est-à-dire une vue d'hélicoptère qui commencera par l'auto en gros plan pour s'en éloigner graduellement, jusqu'à ce qu'on ne distingue plus qu'un petit point dans la plaine désertique. Au dernier moment, on découvrira en bord cadre un paysan qui marche le long d'une crête, suivi d'un âne, et chaque spectateur n'aura qu'à décider pour son propre compte si le paysan va secourir l'homme, ou passer son chemin sans le voir.

Evan se racla la gorge dans le silence parfaitement attentif.

— Il en résulte évidemment que nous aurons bien plus à faire que prévu ici, en extérieur. J'estime que nous allons rester encore deux bonnes semaines, puisqu'il faudra tourner de nombreux plans supplémentaires de Link dans la voiture.

Quelqu'un poussa un gémissement. Evan lança un regard féroce du côté du protestataire qui n'insista pas. Seul, Conrad osa un commentaire.

— Je suis content d'être derrière la caméra plutôt que devant. Il y a déjà comme un début d'usure chez Link.

Je poussais du bout de ma fourchette deux derniers petits morceaux de poulet en rond sur mon assiette, sans vraiment les voir. Conrad me dévisageait, je sentais son regard sur moi. Et celui de tous les autres. Acteur en dépit de tout, je prolongeai l'attente, le temps d'avaler une bouchée, de boire une gorgée de vin, pour enfin tourner à nouveau les yeux vers Evan.

– D'accord.

Une sorte de frémissement parcourut toute la tablée et je me rendis compte que chacun était préparé à l'explosion du siècle. Mais, si je faisais abstraction de mes réactions personnelles, j'étais bien obligé de reconnaître que les suggestions d'Evan prouvaient son sens du cinéma, et j'avais confiance en cet instinct-là chez lui, à défaut de sentiments humains. J'étais prêt à accepter beaucoup de choses, si c'était pour faire un bon film.

Surpris par mon acquiescement, il en fut galvanisé. Sa langue n'était plus assez agile pour suivre le déferlement de son inspiration.

– On ira jusqu'aux larmes... la peau crevassée, des cloques sous la brûlure du soleil... une soif atroce... Les muscles, les tendons qui vibrent comme des cordes de violon tendues à se rompre, les mains nouées par les crampes... L'angoisse de la souffrance, l'épouvante du désespoir... Le silence inexorable... Et puis, vers la fin, la désintégration progressive d'une âme... de sorte que, même s'il est sauvé, l'homme ne sera jamais plus le même... Pas un des spectateurs de ce film ne s'en ira, après, sans se sentir épuisé, lessivé, et imprégné de visions qui le poursuivront toujours.

Les techniciens l'écoutaient d'un air de dire « celle-là-on-nous-l'a-déjà-faite », et la maquilleuse paraissait particulièrement songeuse. J'avais l'impression que moi seul, je voyais les choses de l'intérieur, et mes tripes se nouèrent comme si j'allais réellement affronter la mort et non pas faire semblant. C'était idiot. Il fallait me secouer : ne pas me sentir impliqué. Le jeu de l'acteur doit être intentionnel, pas émotif.

Interrompant sa harangue, Evan attendait, le regard fixe, que je lui réponde. Si je ne voulais pas me faire complètement piétiner par lui, il était temps que j'apporte ma propre contribution.

– Du bruit, dis-je paisiblement.

– Quoi ?

– Du bruit. Il commencerait par faire du bruit. Il appelle à l'aide. Il pousse des hurlements de rage, de faim et de terreur. Il crie à s'en faire sauter la boîte crânienne.

Les yeux dilatés, Evan appréciait la justesse de ma remarque.

– Oui, dit-il en soupirant d'extase, rien que de sentir son idée prendre forme... Oui.

Son brasier intérieur un peu apaisé, il brûlait maintenant d'une ardeur plus maîtrisée.

– Vous le ferez ? demanda-t-il.

Je comprenais le sens de sa question : me contenterais-je de me tirer plus ou moins bien de l'épreuve, ou donnerais-je tout ce dont j'étais capable ? Il n'avait pas tort de la poser, après la façon dont il m'avait traité aujourd'hui. Oui, je le ferais, pensai-je; je ferais ce qu'il faudrait pour que ce soit formidable; mais je lui répondis cavalièrement :

– On sortira les mouchoirs dans la salle.

Il parut irrité et déçu, ce qui ne me gênait pas. Le reste de l'équipe s'ébroua et reprit ses conversations, mais il s'était créé une sorte de courant invisible de surexcitation, et ce fut notre meilleure soirée depuis que nous étions là.

Nous reprîmes donc durant quinze jours de plus le chemin de la plaine aride, et l'épreuve fut dure, mais le joli petit film d'action allait battre tous les records du nombre d'entrées, et contenterait, en outre, les critiques de cinéma.

Je résistai aux deux dernières semaines sans perdre mon sang-froid. En conséquence, Conrad, qui avait vu juste, gagna son pari et rafla la cagnotte.

2

A mon retour, je trouvai, par comparaison, l'Angleterre très verte et délicieusement glaciale. Je récupérai à l'aéroport d'Heathrow ma voiture personnelle, une BMW de série, bleu foncé, numéro d'immatriculation quelconque, pas *Special* du tout, et c'est avec un sentiment de bien-être que je mis cap à l'ouest en direction du Berkshire.

Quatre heures de l'après-midi.

Je rentrais chez moi.

Je me surpris à sourire aux anges. Un gosse qui quitte l'école. Je rentrais chez moi et j'allais vivre une soirée d'été.

La maison de taille moyenne, moitié ancienne, moitié récente, était bâtie sur une pente douce aux abords d'un village situé loin en amont sur la Tamise. La vue donnait sur le fleuve en contre-bas, le soleil couchant pénétrait à flots et aucune pancarte ne signalait le chemin que rataient la plupart des visiteurs.

Un vélo d'enfant gisait à cheval sur l'allée et sur la pelouse, les outils de jardinage étaient abandonnés près d'un massif de fleurs à demi désherbé. J'arrêtai la voiture près du garage, jetai un coup d'œil à la porte d'entrée qui était fermée et fis le tour pour passer derrière la maison.

Je les vis tous les quatre avant qu'ils m'aient repéré; comme une pièce éclairée qu'on contemple du dehors. Deux petits garçons qui barbotaient dans la piscine avec un ballon de plage noir et blanc. À côté, une petite fille sur un matelas pneumatique à l'ombre d'un parasol un peu fané. Une jeune femme aux cheveux châtains coupés court, assise au soleil sur une natte, les genoux repliés sous ses bras.

Levant la tête, l'un des garçons m'aperçut, à l'autre bout de la pelouse.

– Voilà papa ! cria-t-il en enfonçant sous l'eau la tête de son frère.

J'allai vers eux en souriant. Charlie se décolla de sa natte et elle accourut.

– Bonjour. Je suis couverte d'huile solaire.

La bouche tendue pour un baiser, elle prit mon visage entre ses poignets.

– Mais qu'est-ce qui t'est arrivé ? s'exclama-t-elle. Tu es d'une maigreur effrayante.

– Il faisait chaud, en Espagne.

J'allai avec elle au bord de la piscine, me débarrassant en chemin de ma cravate puis de ma chemise.

– Tu n'es pas très bronzé.

– Non… J'étais presque tout le temps assis dans une voiture…

– Ça s'est bien passé ?

Je grimaçai.

– Je t'expliquerai. Comment vont les enfants ?

– Très bien.

Cela faisait un mois que j'étais absent. Mon retour n'aurait pas été différent si j'étais parti le matin même. Tout comme n'importe quel père qui retrouve sa petite famille après sa journée de travail.

Peter se hissa hors de la piscine sur le ventre et il vint à moi en courant, tout mouillé.

– Qu'est-ce que tu nous as apporté ?

– Peter, combien de fois t'ai-je dit… interrompit Charlie, exaspérée. Si tu mendies, tu n'auras rien.

– N'importe comment, vous n'aurez pas grand-chose, cette fois. Nous étions à des dizaines de kilomètres de la moindre boutique digne de ce nom. Et va ôter ta bicyclette du chemin.

– Oh, flûte ! Tu es à peine rentré que tu nous attrapes déjà.

Il s'éloigna en direction de la maison, exprimant son indignation par la raideur de son dos.

– Je suis contente que tu sois de retour... dit Charlie en riant.

– Et moi donc !

– Papa, regarde-moi. Regarde ce que je fais, papa !

Docile, je regardai Chris effectuer une espèce de culbute compliquée autour de son ballon de plage et émerger avec un sourire de triomphe, en écartant l'eau qui lui ruisselait dans les yeux et en quêtant les éloges.

– C'est drôlement bien.

– Regarde-moi encore, papa...

– Dans une minute.

Rejoignant Charlie près du parasol, je contemplai avec elle notre fille. Celle-ci avait cinq ans, elle était brune et mignonne. Je m'assis à côté du matelas pneumatique et je lui chatouillai le ventre. Elle gloussa et me fit un sourire délicieux.

– Où en est-elle ?

– Rien de changé.

– Je l'emmène dans la piscine ?

– Elle y est déjà venue avec moi ce matin... mais elle adore ça. Cela ne peut pas lui faire de mal d'y retourner.

Charlie s'accroupit de l'autre côté du matelas.

– Papa est revenu, ma toute petite.

Mais les mots en eux-mêmes n'avaient pratiquement aucun sens pour Libby, notre toute petite. Son développement mental s'était ralenti dans des proportions dramatiques à l'âge de dix mois, après sa fracture du crâne. Peter, qui avait alors cinq ans, voulant rendre service l'avait sortie de son landau pour l'amener dans la maison, à l'heure du déjeuner. Charlie, qui sortait au même instant

25

pour venir la chercher, l'avait vu trébucher et tomber, et la tête de Libby avait heurté la marche de pierre sur la terrasse de l'appartement londonien que nous occupions à l'époque. Le bébé avait paru assommé, mais après une ou deux heures d'examen les médecins n'avaient rien décelé.

C'est seulement deux ou trois semaines plus tard qu'elle avait donné des signes de malaise et, plus tard encore, alors qu'elle luttait désespérément contre une terrible maladie, les médecins de l'hôpital s'étaient aperçus qu'elle avait, à la base du crâne, une fracture de l'épaisseur d'un cheveu qui s'était infectée et avait été à l'origine de sa méningite. Nous étions si soulagés de la voir survivre que nous entendîmes à peine les prudentes mises en garde : « Il ne faudra pas trop vous étonner si elle tarde un peu à se développer... » Bien sûr qu'elle allait prendre un peu de retard après avoir été si malade ! Mais elle allait vite le rattraper, non ? Et nous avions chassé de nos esprits les airs dubitatifs et le mot « retardé ».

Au cours de l'année suivante, nous avions appris sa signification; affronter un désastre d'une telle ampleur nous avait aussi beaucoup éclairés sur nous-mêmes. Avant l'accident, notre couple allait à la catastrophe, chancelant sous les assauts de la prospérité et des succès. Après, il s'était peu à peu ressoudé, avec une vision beaucoup plus nette de ce qui comptait vraiment et de ce qui n'avait aucune importance.

Laissant derrière nous les lumières de la ville, les fêtes et les fans, nous étions partis vivre à la campagne, où nous avions d'ailleurs nos racines l'un et l'autre. Cela valait mieux pour les enfants, disions-nous, mais pour nous aussi, nous le savions bien.

L'état de Libby avait cessé de nous causer une souffrance aiguë. Cela faisait simplement partie de l'existence. On l'acceptait, on s'y était habitué.

Elle trouvait de la bonne humeur auprès des garçons, de l'amour auprès de Charlie, de la douceur auprès de moi. Comme elle était rarement malade et semblait plutôt heureuse, la situation aurait pu être pire.

Le plus difficile, en fin de compte, avait été de s'endurcir face aux réactions des gens du dehors, mais depuis le temps, nous nous fichions bien de ce que pouvaient raconter les étrangers. Libby ne parlait pas encore, elle marchait à peine, mangeait comme un petit cochon et n'était pas complètement propre; mais c'était notre fille et voilà tout.

Après m'être changé dans la maison, je ressortis en maillot de bain et pris Libby avec moi dans la piscine. Elle apprenait lentement à nager et l'eau ne lui faisait pas peur du tout. Retenue par mes bras, elle barbotait avec ravissement, me tapotait le visage de ses paumes mouillées en disant « pa-pa » et s'accrochait à mon cou, suspendue à moi comme un petit bigorneau.

Au bout d'un moment, je la passai à Charlie qui la sécha et j'entamai avec Peter et Chris une sorte de partie de water-polo. Une vingtaine de minutes de cet exercice m'amenèrent à penser que même les ordres d'Evan Pentelow ne poussaient pas l'exigence aussi loin.

— Encore, papa, s'exclamèrent-ils en voyant que je m'écartais. Non, mais tu ne vas pas déjà sortir, dis ?

— Hé, si ! répondis-je avec fermeté et, tout en m'épongeant, j'allai m'asseoir à côté de Charlie sur sa natte.

Elle mit les enfants au lit pendant que je défaisais mes valises, je leur lus des histoires pendant qu'elle préparait le dîner. Nous passâmes la soirée en tête à tête à manger du poulet et à regarder à la télé un vieux film, d'avant mon époque. Après quoi, ayant mis la vaisselle sale dans la machine, nous allâmes nous coucher.

Personne d'étranger à la famille ne logeait chez nous. Quatre matinées par semaine, une femme du village donnait un coup de main pour les corvées ménagères, et une infirmière à la retraite venait parfois veiller sur Libby et les garçons si nous voulions sortir. Ces dispositions répondaient aux vœux de Charlie : j'avais épousé une fille calme et intelligente qui, depuis lors, avait acquis un grand sens pratique et qui, à sa propre surprise, était devenue une parfaite maîtresse de maison. Depuis que nous avions quitté Londres, elle avait acquis une force supplémentaire qui porte le nom de sérénité, et même s'il lui arrivait de piquer des colères aussi violentes que les miennes, son caractère était maintenant plus pondéré.

Dans le monde du cinéma, de nombreuses personnes, je le savais, trouvaient que ma femme était ennuyeuse, ma vie de famille un purgatoire et s'attendaient à ce que je me rue sur les blondes et les rousses. Mais je n'avais pas grand-chose de commun avec le personnage de super-homme d'action que j'interprétais dans les films. Ça, c'était mon travail, je me donnais du mal pour le faire bien mais je ne le ramenais pas à la maison.

Charlie se blottit contre moi sous la couette, la tête contre mon épaule. Je caressai sa peau nue, mes mains sentirent l'onde frémissante qui parcourait son ventre et le léger tremblement de ses cuisses.

— Tu veux ? demandai-je en posant des baisers sur ses cheveux.

— Oh, oui...

Nous fîmes l'amour simplement, sans histoires, comme toujours; mais parce que j'étais resté absent tout un mois, ce fut l'une de nos meilleures soirées, l'un de ces moments d'une intensité à couper le souffle, fondamentaux, indescriptibles, qui constituent les fondations de la vie à deux. La certitude commence ici, pensai-je. De quoi d'autre a-t-on besoin ?

– Merveilleux, soupira Charlie. C'était merveilleux.

– Pensons à le faire moins souvent.

Elle rit.

– C'est vrai que c'est encore meilleur quand on a attendu.

– Oui, répondis-je dans un bâillement.

– Il faut que je te raconte, je lisais un magazine ce matin chez le dentiste pendant qu'il s'occupait de Chris, il y avait une lettre, dans le courrier du cœur, d'une femme qui se plaignait de ne plus être inspirée par son vieux mari gras et chauve et qui demandait des conseils pour sa vie sexuelle. Tu ne sais pas ce qu'on lui suggérait ? Vous n'avez qu'à vous imaginer que vous êtes au lit avec Edward Lincoln.

– C'est idiot, dis-je, bâillant à nouveau.

– Tu parles... J'ai même eu envie d'écrire à mon tour pour leur demander ce qu'ils me conseilleraient à moi.

– Sans doute, d'imaginer que tu es au lit avec un vieil homme gras et chauve qui ne t'inspire pas.

Elle étouffa un rire.

– Ce sera peut-être le cas, d'ici une vingtaine d'années.

– Trop aimable !

– À ton service.

Nous nous abandonnâmes béatement au sommeil.

Je possédais un cheval de course, un sauteur, entraîné dans une écurie prospère à une dizaine de kilomètres de chez moi où j'avais coutume, quand je ne tournais pas, d'aller monter pour la promenade du matin. Bill Tracker, l'entraîneur, n'aimait pas trop, en règle générale, prendre des propriétaires qui voulaient monter eux-mêmes leurs chevaux; mais, tout comme ses lads, il acceptait ma présence intermittente pour deux motifs, à savoir que mon père avait été premier garçon à Lambourn et que, moi aussi, j'avais autrefois gagné ma vie en montant à cheval, même si ce n'était pas en course.

Il n'y avait pas beaucoup d'activité en août, mais j'y allai deux ou trois jours après mon retour et nous sortîmes sur la plaine crayeuse qu'on appelle les Downs. La saison des courses d'obstacles commençait à peine et la plupart des chevaux, y compris le mien, arpentaient encore les routes pour se renforcer les jambes. Bill me laissa prendre l'un des sauteurs les plus avancés, qui devait avoir son premier engagement dans une quinzaine et, comme d'habitude, j'appréciai fort l'occasion qu'il m'offrait de monter utilement et d'entretenir la seule et unique aptitude qui m'avait été donnée dès mon plus jeune âge.

J'avais appris à monter à cheval avant de savoir marcher et je voulais être jockey. Mais le sort avait été cruel : à dix-sept ans, je mesurais un mètre quatre-vingt-cinq et il me manquait le petit quelque chose de particulier qui fait de vous un champion. Douloureusement, il avait fallu que je me rende à l'évidence. Et que je me résigne à être un cavalier de cinéma, misérable solution de remplacement.

C'était drôle d'y penser, à présent.

Les Downs s'étendaient sur une vaste surface venteuse : c'était encore un bel endroit vierge, à part la centrale électrique à l'horizon et l'entaille lointaine de l'autoroute. Nous allions au pas, poussions le trot jusqu'au galop pour ralentir ensuite le train et l'accélérer quand et où on nous le disait, puis repartions au pas pour laisser récupérer les chevaux. C'était épatant.

Je restai prendre le petit déjeuner chez les Tracker, après quoi je montai mon propre cheval en compagnie du second lot sur les routes, en abreuvant de jurons, à l'instar des lads, les automobilistes qui ne ralentissaient pas pour nous dépasser. Décontracté sur ma selle, je souriais en me rappelant les cris dont me poursuivait mon père jusqu'à s'en casser la voix : « Tiens-toi droit, petit merdeux ! Et rentre-moi ces coudes !... »

Evan Pentelow et Madroledo appartenaient à un autre univers.

Quand je rentrai à la maison, les garçons se chamaillaient pour déterminer « à qui c'était le tour » d'avoir la paire de patins à roulettes en bon état, et Charlie préparait un gâteau.

— Salut, lança-t-elle. Tu as fait une bonne balade ?

— Formidable.

— Tant mieux... Pas de coups de téléphone, à part Nerissa... Vous vous calmez, tous les deux, on ne s'entend plus...

— Mais c'est mon tour ! glapit Peter.

Je décidai d'intervenir :

— Si vous ne la bouclez pas tous les deux je vais vous tordre les oreilles.

Ils se turent. C'était une menace souvent réitérée que je n'avais jamais mise à exécution, mais l'idée leur était désagréable. S'emparant aussitôt des patins à roulettes convoités, Chris se rua hors de la cuisine, pourchassé par Peter qui criait.

— Les enfants ! s'exclama Charlie, exaspérée.

Mon index plongé dans la pâte crue du gâteau me valut une tape sur le poignet.

— Que voulait Nerissa ?

— Qu'on aille déjeuner chez elle. (Charlie marqua une pause, en immobilisant en l'air sa cuiller de bois d'où le chocolat s'égouttait dans la terrine.) Elle était un peu... comment dire... enfin, bizarre. Elle n'avait pas sa vivacité habituelle. En tout cas, elle aurait voulu qu'on y aille aujourd'hui...

— Aujourd'hui ! dis-je en regardant l'heure.

— Mais je lui ai répondu que c'était impossible, que tu allais rentrer à midi au plus tôt. Alors, elle nous invite pour demain.

– Pourquoi est-elle si pressée ?

– Je ne sais pas, mon chéri. Elle a seulement répété qu'elle voulait nous voir le plus tôt possible. Avant que tu ne repartes pour ton prochain film.

– Il ne commence qu'en novembre.

– Oui, c'est ce que je lui ai fait remarquer. Mais elle insistait beaucoup. Je lui ai dit qu'on serait ravis d'y aller demain, à moins que tu n'aies un empêchement, auquel cas je dois la rappeler tout de suite.

– Je me demande ce qu'elle veut. Ça fait des siècles qu'on ne l'a pas vue. Il vaut mieux y aller, tu ne crois pas ?

– Mais si, bien sûr.

Nous avons donc obtempéré.

On ne peut jamais prévoir l'avenir, et c'est tant mieux.

Nerissa avait joué tout à la fois le rôle de la tante, de la marraine et de la mère adoptive que je n'avais jamais eues. J'avais subi une belle-mère qui aimait exclusivement les deux enfants de son précédent mariage, et qui faisait perdre la tête à mon pauvre père à force de le harceler, lui qui travaillait si dur. Propriétaire de trois chevaux dans l'écurie sur laquelle il régnait, Nerissa m'avait d'abord distribué des bonbons, puis des billets d'une livre, puis des encouragements pour enfin m'accorder son amitié, au fil des ans. Sans que nous devenions jamais intimes, un sentiment chaleureux avait toujours animé nos relations.

Dans le salon d'été de sa maison des Cotswolds, elle nous attendait auprès d'un plateau d'argent chargé de verres en cristal et d'une carafe de xérès sec, et elle se leva pour nous accueillir quand elle entendit son valet nous guider à travers le hall.

– Entrez, mes chers enfants, entrez donc ! Quel plaisir de vous voir, Charlotte, je trouve que le jaune vous va à ravir... Edward, mais que tu as maigri...

Elle avait le dos tourné à la fenêtre ensoleillée où s'encadrait la plus jolie vue de tout le Gloucestershire, et c'est seulement en embrassant, chacun à tour de rôle, la joue qu'elle nous tendait que nous avons découvert combien elle avait cruellement changé.

La dernière fois que je l'avais vue, c'était une femme séduisante, la cinquantaine passée, aux yeux bleus pleins de jeunesse et à la vitalité indestructible. Elle marchait d'un pas dansant, son timbre de voix vibrait d'un humour allègre. Elle avait du sang bleu, de la classe, comme l'exprimait succinctement mon père.

Mais voici qu'en l'espace de trois mois sa force avait fondu, ses yeux s'étaient éteints. L'éclat de ses cheveux, l'élasticité de sa démarche, le rire dans sa voix, tout avait disparu. Ses mains tremblaient et on lui aurait plutôt donné soixante-dix ans que cinquante.

– Nerissa ! s'exclama Charlie, saisie d'une sorte d'angoisse, car elle aussi éprouvait à son égard bien plus que de l'affection.

– Oui, oui, ma chérie... Allons, asseyez-vous, Edward va vous servir du sherry.

Je versai trois verres de ce beau vin doré, mais c'est à peine si Nerissa y trempa ses lèvres. Assise à contre-jour dans un fauteuil de brocart jaune, vêtue d'une robe de lin bleu à manches longues, elle tenait son visage dans l'ombre.

– Comment vont nos deux petits sapajous ? demanda-t-elle. Et notre chère petite Libby ? Edward, mon cher enfant, cela ne te va pas d'être si maigre.

Elle poursuivit ainsi la conversation en témoignant beaucoup d'intérêt pour nos réponses et sans nous laisser jamais l'occasion de lui demander ce qui la tourmentait.

Pour passer à la salle à manger, elle s'aida

d'une canne tout en s'appuyant sur mon bras, et la légèreté du déjeuner adapté à ses besoins n'allait pas contribuer à me remplumer. Ensuite, nous regagnâmes à petits pas le salon d'été pour y prendre le café.

— Fume donc un cigare, mon cher Edward… Il y en a dans ce placard. Tu sais combien j'en aime l'odeur… et maintenant il arrive si rarement que quelqu'un fume ici !

Sans doute les visiteurs évitaient-ils de le faire à cause de l'état où elle se trouvait mais, si c'était son désir, je voulais bien m'y plier, moi qui ne fumais guère, et seulement le soir. C'étaient des Coronas, mais ils avaient un peu séché. J'en allumai un et je vis notre amie inhaler la fumée profondément, et sourire d'un vrai plaisir.

— Que c'est bon !

Charlie versa le café mais, là encore, Nerissa y toucha à peine. Appuyée au dossier du fauteuil, elle croisa ses chevilles.

— Voilà, mes chers enfants, je vais mourir d'ici à Noël.

Nous ne protestâmes pas contre cette affirmation qui n'était que trop crédible. Nerissa nous sourit.

— Quelles bonnes réactions, chez vous deux ! Pas d'évanouissements imbéciles ni d'histoires… (Elle marqua une pause.) Je souffre de je ne sais quelle maladie idiote contre laquelle il n'y a pas grand-chose à faire, me dit-on. À la vérité, c'est à cause du traitement qu'on me fait quand même suivre que je me sens si mal. Avant, ce n'était pas si terrible… mais j'ai subi tant de séances de radiothérapie… et maintenant, toutes ces horribles drogues cytotoxiques qui me rendent vraiment très malade. (Elle parvint encore à sourire.) Je leur ai demandé d'arrêter, mais vous savez comment ça se passe. S'ils peuvent encore tenter quoi que ce soit, ils prétendent que c'est une obligation. Ça ne tient pas debout, n'est-ce pas ? Enfin, il ne faut pas que cela vous perturbe, mes chers enfants.

— Mais vous aimeriez que nous fassions quelque chose pour vous ? suggéra Charlie.

Nerissa parut étonnée.

— Comment l'avez-vous deviné ?

— Comme ça... Vous souhaitiez que nous venions très vite, alors qu'il doit y avoir des semaines que vous connaissez la gravité de votre état.

— Edward, ce que ta Charlotte peut être intelligente ! Oui, je voudrais quelque chose... Je voudrais qu'Edward fasse quelque chose pour moi, s'il le veut bien.

— Bien sûr, dis-je.

Elle m'interrompit, d'une voix où perçait à nouveau l'amusement.

— Attends de savoir de quoi il s'agit, avant de t'engager à la légère.

— D'accord.

— C'est au sujet de mes chevaux. (Elle marqua un temps de réflexion, la tête penchée sur le côté.) Ils courent trop mal.

— Comment ça ? dis-je, déconcerté, mais ils ne sont pas encore sortis cette saison !

Elle avait encore deux sauteurs à l'entraînement dans l'écurie où avait travaillé mon père, et même si je n'avais eu aucun contact direct avec eux depuis sa mort, je savais qu'ils avaient chacun gagné une ou deux courses la saison passée.

Elle secoua la tête.

— Je ne parle pas des sauteurs, Edward. Mes autres chevaux. Cinq poulains et six pouliches, qui courent sur le plat.

— Sur le plat ? Excusez-moi... j'ignorais leur existence.

— Ils sont en Afrique du Sud.

— Ah, bon... dis-je avec un regard un peu vague. J'ignore tout des courses en Afrique du Sud. Je suis vraiment désolé. J'aimerais vous être utile...

Mais je n'en sais pas assez long pour avoir l'ombre d'une idée sur les raisons de l'échec de vos chevaux là-bas...

— C'est gentil de ta part d'avoir l'air déçu, mon cher Edward. Mais tu peux vraiment me rendre service, tu sais. Si tu le veux bien.

— Vous n'avez qu'à lui dire par quel moyen, intervint Charlie, et il le fera. Il est prêt à faire n'importe quoi pour vous, Nerissa.

En ce moment précis, dans les circonstances présentes, elle avait bien raison. L'état très alarmant dans lequel je retrouvais Nerissa me rendait conscient de ce que je lui devais depuis toujours : non pas tant matériellement que moralement, le fait d'avoir su qu'elle était là, qu'elle s'intéressait à ce que je faisais, que cela comptait pour elle. Pour l'adolescent privé de mère que j'étais, cela avait eu une énorme importance.

Elle soupira.

— J'ai toute une correspondance avec mon entraîneur là-bas, il semble très perplexe. Il ne sait pas pourquoi mes chevaux courent mal alors que tous les autres qu'il entraîne ont de bons résultats. Mais les lettres mettent si longtemps... Le service postal devient aussi déficient ici que là-bas. Alors, je me demandais, Edward, mon cher enfant, si tu ne pourrais pas... Comment dire, je sais que c'est beaucoup te demander, mais... envisagerais-tu de me donner une semaine de ton temps, d'aller là-bas pour découvrir ce qui cloche ?

Il y eut un petit silence. Charlie elle-même ne s'empressa pas de répondre que j'acceptais, bien entendu, même s'il était évident d'emblée, pour elle comme pour moi, que la question était de savoir comment j'irais en Afrique du Sud, et non pas si j'irais.

— Vois-tu, Edward, reprit Nerissa, persuasive, tu connais le monde des courses. Tu sais ce qui se passe dans une grande écurie et autour. Tu t'en apercevrais, non, s'il y avait une défaillance dans leur entraînement ? D'autant que tu es tellement fort pour mener une enquête...

— Je suis quoi ? Jamais de ma vie je n'ai mené la moindre enquête !

D'un geste de la main, elle écarta mes protestations.

— Tu sais comment t'y prendre pour élucider les mystères, et rien ne peut te détourner de ton chemin.

Je fus pris d'un soupçon.

— Nerissa, vous êtes allée voir mes films.

— Mais oui, bien sûr. Je les ai presque tous vus.

— Bon, mais sur l'écran, ce n'est pas moi. Tous ces surhommes qui mènent leurs enquêtes, c'est du cinéma.

— Ne dis pas de bêtises, mon cher Edward ! Tu ne pourrais pas faire tout ce que tu fais dans les films si tu n'étais pas courageux, résolu, et très malin pour résoudre les énigmes.

Je la regardais avec un mélange d'affection et d'exaspération. Ils étaient innombrables, ceux qui confondaient l'acteur et l'homme, mais elle...

— Vous m'avez connu quand j'avais huit ans, protestai-je. Vous savez que je ne suis ni courageux, ni particulièrement résolu. Je suis quelqu'un d'ordinaire. Je suis moi. Je suis le gosse à qui vous avez donné des bonbons quand il pleurait parce qu'il était tombé de poney, et à qui vous avez dit « ça ne fait rien » le jour où il n'a pu devenir jockey.

Elle eut un sourire indulgent.

— Oui, mais depuis lors, tu as appris à te battre. Et puis il n'y a qu'à voir ce film où tu t'accroches d'une seule main au rocher, au-dessus d'un à-pic de trois cents mètres...

Je l'interrompis :

— Nerissa, ma chère Nerissa. Je vais aller pour vous en Afrique du Sud. C'est promis. Mais ces bagarres dans les films... ce n'est pas moi, la plupart du temps, c'est quelqu'un de ma taille qui, lui, connaît vraiment le judo. Moi pas. Je suis incapable de me battre. On voit seulement mon visage dans les gros plans. Quant à ce surplomb auquel je me cramponnais, oui, c'était du vrai rocher, mais je ne courais aucun danger. Je n'aurais pas fait une chute de trois cents mètres, mais de trois mètres tout au plus, pour aller rebondir dans un de ces filets qu'on tend au-dessous des trapézistes dans les cirques. Et je suis tombé, en effet, deux ou trois fois. D'ailleurs, il n'y avait pas en réalité un à-pic de trois cents mètres. Nous avons tourné cela dans la Valley of Rocks, au nord du Devon, et il y a là des tas de petites plates-formes sur lesquelles on peut installer les caméras.

Elle écoutait et paraissait n'être absolument pas convaincue. Je compris qu'il était inutile d'insister, de lui affirmer que je n'étais pas tireur d'élite, que je ne savais pas piloter, que je ne pulvérisais pas les records des skieurs olympiques, que je ne parlais pas un mot de russe, que j'étais aussi incapable de construire un émetteur radio que de désamorcer une bombe, et que je raconterais tout ce qu'on voudrait sous la moindre menace de torture. Elle, elle savait à quoi s'en tenir, elle avait vu mes prouesses de ses propres yeux. Cela se lisait sur son visage. Je capitulai.

— Bon, très bien. C'est vrai que je sais au moins ce qu'on doit faire et ne pas faire dans une écurie de courses. En Angleterre, en tout cas.

— Tu ne peux pas prétendre, quand même, que ce n'est pas toi qui accomplissais toutes ces acrobaties à cheval à tes débuts dans le cinéma !

Non, je ne le pouvais pas. C'était moi, en effet. Mais cela n'avait pas fait date.

— Je vais aller voir vos chevaux, et écouter ce qu'a à dire votre entraîneur, concédai-je en pensant que, s'il n'avait pas d'explication à me fournir, j'aurais peu de chances d'en découvrir par moi-même.

— Mon cher Edward, que tu es gentil...

Elle donnait l'impression de s'être encore affaiblie, d'avoir jeté ses dernières forces dans son effort pour me convaincre. Mais elle lut l'inquiétude sur le visage de Charlie et sur le mien et elle sourit pour nous rassurer.

— Rien à craindre dans l'immédiat, mes chers enfants. Encore deux mois, peut-être... Au moins deux mois, je pense.

Charlie secoua la tête en signe de protestation mais Nerissa lui tapota la main.

— Allons, allons, je suis parvenue à me faire une raison. Mais je veux mettre les choses en ordre. C'est pourquoi je voudrais bien qu'Edward tire au clair l'affaire des chevaux. À la vérité, mon cher enfant, il vaudrait mieux que je te dise...

— Vous allez vous fatiguer.

— Mais non, ça va très bien. Je tiens à t'expliquer la situation. Les chevaux appartenaient à ma sœur Portia, qui s'était mariée et qui était allée vivre en Afrique du Sud, il y a de cela une trentaine d'années. Veuve, elle était restée là-bas parce qu'elle y avait tous ses amis, et je suis allée la voir plusieurs fois. Je sais que je vous ai déjà parlé d'elle.

Nous hochâmes la tête.

— Oui, elle est morte l'hiver dernier, n'est-ce pas ?

— C'est ça... une grande perte. (Nerissa semblait plus affectée par la mort de sa sœur que par l'imminence de la sienne.) Elle n'avait pas d'autre proche parent que moi, et m'a légué pratiquement tout ce dont elle avait hérité de son mari. Et tous ses chevaux, précisa-t-elle avant de s'interrompre, autant pour rassembler ses forces que ses idées. C'étaient des yearlings, reprit-elle. De grand prix. Et son entraîneur m'a écrit pour me demander si je voulais les vendre, puisque la loi nous interdit, vous le savez, d'importer en Angleterre des chevaux d'Afrique du Sud, à cause des maladies qui sévissent sur ce continent. Mais j'ai trouvé que ce serait plus amusant... plus intéressant... de les faire courir là-bas avant de les vendre pour l'élevage. Mais maintenant... bon, enfin, je ne serai plus là quand ils seront mûrs pour la reproduction et, entre-temps, leur valeur s'est effondrée.

— Mais quelle importance, Nerissa chérie ? demanda Charlie.

— Une grande. Si, si, croyez-moi. Parce que je les laisse à mon neveu Danilo, et je ne voudrais pas lui laisser quelque chose qui ne vaille rien.

Elle nous regarda à tour de rôle.

— Je ne me souviens plus... Avez-vous jamais rencontré Danilo ?

— Non, répondit Charlie.

— Deux ou trois fois, quand il était petit, dis-je. Vous l'ameniez aux écuries.

— Voilà, c'est ça. Puis mon beau-frère a divorcé de cette horrible femme, la mère de Danilo, et il a emmené celui-ci vivre avec lui en Californie. Alors... Danilo est rentré récemment en Angleterre; c'est devenu un charmant jeune homme. Une chance, non, mes chers enfants ? Moi qui ai si peu de famille ! Je dirais même qu'il n'y a plus que lui, qui ne m'est même pas vraiment allié par le sang, puisque son père était le jeune frère de mon cher John, voyez-vous.

Mort depuis seize ans au moins, John Cavesey était un gentilhomme campagnard doté de quatre chevaux de chasse et du sens de l'humour. Marié à Nerissa et sans enfant, il possédait un frère, un neveu et cinq *miles* carrés de notre douce terre d'Angleterre.

— Je vais envoyer un télégramme à M. Arknold, c'est mon entraîneur, reprit Nerissa après un silence, pour lui annoncer que tu viens t'informer et qu'il s'occupe de te réserver une chambre.

— Non, surtout pas ! Il risquerait d'être vexé

40

en apprenant que vous envoyez quelqu'un mettre le nez dans ses affaires et je n'obtiendrais plus aucune coopération de sa part. Si vous lui télégraphiez, dites simplement que je lui rendrai peut-être visite, par intérêt personnel pour les chevaux, à l'occasion d'un bref séjour que je dois faire en Afrique du Sud.

— Tu vois bien, mon cher enfant, que tu sais t'y prendre pour mener une enquête, conclut-elle avec un long sourire plein de douceur.

3

Cinq jours plus tard, je prenais l'avion pour Johannesburg, muni d'un écheveau d'informations et dépourvu de toute confiance en ma capacité de le débrouiller.

Nous étions rentrés à la maison, Charlie et moi, doublement accablés. Pauvre Nerissa. Et pauvres de nous, qui allions la perdre.

– Et dire que tu viens juste de revenir, avait ajouté Charlie.

– Oui, avais-je soupiré. Mais je ne pouvais refuser.

– Non.

– Même si mon voyage ne sert à rien du tout ?

– On ne sait jamais, tu vas peut-être découvrir quelque chose.

– J'en doute fort.

– Mais tu feras de ton mieux ? avait-elle demandé, un peu inquiète.

– Bien sûr, mon amour.

Elle avait secoué la tête.

– Tu es plus malin que tu ne crois.

– Ouais, sûr, Bill, avais-je dit.

Charlie avait fait une grimace, et nous avions roulé en silence pendant un moment. Puis elle avait repris :

– Pendant que tu allais jeter un coup d'œil à ses deux poulains au paddock, Nerissa m'a dit de quoi elle souffre.

– Qu'est-ce que c'est ?

– Un truc horrible qui s'appelle la maladie d'Hodgkin, qui entraîne une hypertrophie des ganglions ou je ne sais quoi, et qui perturbe les cellules sanguines, quelque chose comme ça. Elle ne le savait pas trop bien elle-même, je crois. Sauf que l'issue est fatale.

Pauvre Nerissa !

– Elle m'a dit aussi, avait continué Charlie, qu'elle nous lègue à chacun une petite chose sur son testament.

– C'est vrai ? (J'avais tourné la tête pour regarder ma femme.) Que c'est gentil de sa part ! Elle t'a dit ce que c'est ?

– Regarde plutôt la route, je t'en supplie ! Non, elle ne m'a pas précisé de quoi il s'agit. Simplement quelque chose pour que nous nous souvenions d'elle. Elle a dit qu'elle s'était bien amusée à rédiger son nouveau testament et à y distribuer des cadeaux aux gens. Elle est stupéfiante, non ?

– C'est vrai.

– Elle paraissait sincère. Et elle est si heureuse que son neveu soit un garçon bien ! Je n'ai jamais vu quelqu'un comme ça. Si calme devant la mort... et même capable de trouver du plaisir à des activités comme la rédaction de son testament... alors qu'elle sait... qu'elle sait...

J'avais jeté un coup d'œil furtif vers Charlie. Des larmes coulaient sur ses joues. Elle pleurait rarement et n'aimait pas qu'on la voie.

Je tournai les yeux vers la route.

Mon agent avait été abasourdi par mon coup de téléphone.

– Mais enfin, avait-il bafouillé, tu ne vas jamais nulle part, tu refuses toujours... tu as tapé du poing sur mon bureau en vociférant pour que je me mette bien ça dans la tête...

– Parfaitement. N'empêche que, pour le moment, j'ai besoin d'un bon prétexte pour aller en Afrique du Sud, alors dis-moi si j'ai un film sur le point de sortir là-bas ou pas ?

– Ma foi... Il faut que je regarde. Mais tu es sûr que, s'il y a une sortie d'un de tes films, tu veux pour de bon que je leur annonce que tu vas te pointer chez eux en chair et en os ?

– C'est ce que je viens de te demander.

– Oui. Seulement, je ne parviens pas à y croire.

Il m'avait rappelé une heure plus tard.

– Il y en a deux de prévues. Il y a *Aller simple pour Moscou* qui sort au Cap lundi en huit. C'est la première d'une série de six reprises, alors même si *Moscou* ne date pas d'hier, ça se justifierait que tu y ailles pour promouvoir l'ensemble. Ou alors, tu as la sortie d'*Escalade* à Johannesburg. Mais ça, c'est seulement le quatorze septembre. Dans trois semaines. Ce ne serait pas trop tard ?

– Un peu... (Je réfléchissais pesant le pour et le contre.) Tant pis, ce sera quand même Johannesburg.

– D'accord. Je vais arranger ça. Dis donc, est-ce que ton revirement inclut les passages à la télé et interviews en tout genre ?

– Certes pas.

– C'est bien ce que je craignais.

J'avais apporté de chez Nerissa toutes les lettres de son entraîneur, les calendriers des courses d'Afrique du Sud, coupures de presse et diverses revues qu'on lui avait envoyées, et tous les comptes rendus détaillés de dressage et de comportement en course de ses onze poulains et pouliches. L'ensemble constituait un sacré volume de paperasse, qui n'était pas des plus limpides à interpréter.

Pourtant, l'image qui s'en dégageait aurait fait réfléchir sérieusement n'importe qui, sans parler de la propriétaire des chevaux en question. Sur les onze, neuf avaient joliment commencé leur carrière, en remportant de décembre à mai un total de quatorze victoires. Mais depuis la mi-mai, pas un qui eût fait mieux que quatrième.

Autant que je puisse en juger d'après l'examen en diagonale des palmarès d'étalons et des notices de croisement dans le *Horse and Hound* d'Afrique du Sud, ils avaient tous des origines irréprochables et les sommes versées par Portia, la sœur de Nerissa, ne permettaient pas de croire qu'elle avait fait une bonne affaire avec aucun d'entre eux : pas un n'avait encore rapporté, en primes, de quoi couvrir son prix d'achat et chaque défaite retentissante contribuait davantage à rapprocher de zéro leur valeur pour la reproduction.

En tant que legs, les chevaux d'Afrique du Sud valaient un lingot de plomb.

Charlie était venue m'accompagner à l'aéroport d'Heathrow, car je n'avais passé à la maison que neuf jours qui nous semblaient insuffisants à l'un comme à l'autre. Pendant que nous attendions, à l'enregistrement des bagages, une demi-douzaine de dames m'avaient demandé un autographe pour leur fille, leur neveu, leurs petits-enfants et de nombreux regards se braquaient sur nous ; vêtu de son uniforme bleu marine, un cadre de la compagnie d'aviation n'avait pas tardé à se présenter à nous pour nous proposer un petit salon d'attente privé. Pour moi qui passais par là assez fréquemment, ils étaient plutôt bien, sur ce plan-là, et nous avions accepté avec gratitude.

– J'ai l'impression d'avoir deux maris différents, avait soupiré Charlie en s'asseyant. L'homme public et l'homme privé. Aucun rapport ! Tu sais, quand je vois un film où tu joues, ou même un simple extrait à la télé, je te contemple sur l'écran tout en me disant : « J'ai passé la nuit dernière auprès de cet homme-là. » Ça fait un effet extraordinaire, parce qu'en réalité ce n'est pas du tout à moi qu'appartient l'homme public, mais à tous les gens qui paient pour te voir. Et puis tu reviens à la maison et tu n'es plus que toi, mon mari que je connais, qui n'a rien à voir avec cet autre type...

Je l'avais regardée affectueusement.

— L'homme privé a oublié de payer la note du téléphone.

— Bon sang, mais je te l'ai rappelé trente-six fois !...

— Tu t'en occuperas, alors ?

— Il faut bien. Mais la note du téléphone fait partie de tes attributions. Contrôler tous les télégrammes, les appels aux États-Unis... je n'ai aucune idée du total que ça devrait faire. Je suis sûre qu'on nous compte trop cher, si tu ne vérifies pas.

— Il faut courir le risque.

— Franchement !

— Ce sera déduit de nos impôts, n'importe comment.

— Sans doute...

Je m'étais assis auprès d'elle. La note impayée du téléphone valait un autre sujet de conversation : nous n'avions plus besoin de formuler à haute voix ce que nous nous disions au fond de nous. Depuis que nous vivions ensemble, nos adieux avaient toujours été désinvoltes, autant que nos retrouvailles. De nombreuses personnes s'y trompaient, prenant cette attitude pour de l'indifférence. Alors que c'était peut-être la preuve du contraire. Nous avions un besoin vital l'un de l'autre.

Quand je débarquai à l'aéroport international Jan Smuts, quelque seize heures plus tard, je fus accueilli par un homme nerveux, aux mains moites, qui se présenta comme le responsable de la distribution en Afrique du Sud pour le réseau des salles Worldic.

— Wenkins, dit-il. Clifford Wenkins. Content de faire votre connaissance.

Il avait le regard fuyant et un accent local mal combattu. Quarante ans environ. Il ne connaîtrait jamais la réussite. Il parlait un peu trop fort, un peu trop familièrement, de ce ton d'une jovialité forcée que je trouve si dur à supporter.

Le plus poliment que je pus, je dégageai ma manche de ses doigts crispés.

— C'est gentil d'être venu, dis-je en regrettant qu'il soit là.

— On n'allait quand même pas laisser débarquer Edward Lincoln sans un comité d'accueil !

Il éclata d'un rire bruyant qui marquait sa nervosité. Je me demandai vaguement pourquoi il souffrait d'un tel trac : dans sa position, cela devait lui arriver fréquemment de rencontrer des vedettes de cinéma.

— La voiture est là-bas.

Il marchait en crabe devant moi, les bras écartés comme pour m'ouvrir la voie. Il n'y avait pas assez de monde autour de nous pour justifier une telle gymnastique.

Chargé de ma valise, je le suivais en m'efforçant de réagir avec bonne humeur à ses attentions.

— Ce n'est plus très loin, proclama-t-il en levant vers moi des yeux implorants.

— Parfait.

Un groupe d'une dizaine de personnes attendaient à côté de la porte. Je les découvris avec accablement : leurs vêtements, leur façon de se tenir portaient, sans aucun doute possible, le cachet « média ». C'est donc sans surprise que je vis, en m'approchant, jaillir de tous côtés les micros et les appareils photo.

— Que pensez-vous de l'Afrique du Sud, monsieur Lincoln ?

— Hé, Link, vous nous faites un beau sourire ?

— Est-il vrai, comme on le dit, que vous êtes sur le point...

— Nos lecteurs aimeraient avoir votre opinion au sujet...

— Un sourire, s'il vous plaît...

J'essayai de poursuivre ma route mais ils nous barraient pratiquement le passage. Je leur concédai un sourire collectif et lâchai quelques bonnes paroles du genre : « Je suis content d'être ici. C'est la première fois que je viens. J'attends beaucoup de ce séjour », et nous pûmes enfin sortir à l'air libre.

La moiteur avait gagné le front de Clifford Wenkins, malgré la fraîcheur du soleil à deux mille mètres d'altitude.

— Désolé, bredouilla-t-il, je n'ai pas pu les empêcher de venir.

— Étonnant qu'ils aient découvert le jour et l'heure précise de mon arrivée, alors qu'on n'a pris mon billet qu'hier matin.

— Euh... oui, je me demande...

— Ils se montrent très serviables, j'en suis sûr, quand vous leur demandez de faire un peu de publicité à quelqu'un.

— Ça, c'est vrai, confirma-t-il avec chaleur.

Je lui souris. On ne pouvait guère lui en vouloir de m'utiliser pour payer des services rendus ou futurs, et je savais que mon choix personnel d'éviter les interviews passait pour une aberration. Dans beaucoup de pays, les journalistes vous font passer un mauvais quart d'heure si vous leur refusez la matière d'un article, et ceux-ci s'étaient montrés plus civils que nombre de leurs collègues.

— Laissez-moi porter votre valise, dit Wenkins en passant sa main moite sur son front où perlait la sueur.

Je secouai la tête. J'étais bien plus costaud que lui.

— Elle n'est pas lourde.

En traversant le parking pour aller jusqu'à sa voiture, je humai pour la première fois le parfum extraordinaire de l'Afrique. Un mélange de senteurs chaudes et sucrées, teintées d'une sorte de moisissure; une odeur forte, dérangeante qui hanta mes narines pendant trois ou quatre jours, jusqu'à ce qu'elles s'y accoutument et la négligent. Mais la première impression dominante d'Afrique du Sud est restée, pour moi, olfactive.

Sans cesser de transpirer, de sourire et de trop parler, Clifford Wenkins prit la route de Johannesburg. L'aéroport était situé à l'est de la ville, sur les vastes espaces dénudés du Transvaal; il nous fallut une bonne demi-heure pour arriver à destination.

— J'espère que tout va bien se passer pour vous, disait Wenkins. Ce n'est pas souvent que nous... Enfin, c'est-à-dire... Votre agent a bien insisté au téléphone pour qu'il n'y ait pas de réceptions, ni de dîners, ni de passages radio-télé ni rien de tout ça... Vous comprenez, c'est ce qu'on organise d'habitude pour présenter les vedettes... du moins celles des films dont s'occupe la Worldic... Mais, euh... on n'a rien fait du tout pour vous, et pourtant je trouve qu'il aurait fallu... mais votre agent ne voulait rien savoir... c'est comme pour votre chambre, pas en ville, qu'il a dit... Pas en ville, et surtout pas chez des gens, alors j'espère que vous serez content... Vous comprenez, on était abasourdis... je veux dire, très honorés... d'apprendre que vous alliez venir...

— Tout ira très bien, j'en suis sûr, répondis-je en ajoutant mentalement : monsieur Wenkins, vous iriez plus loin dans la vie si vous étiez moins bavard.

— Oui, enfin... Euh, si vous ne voulez pas qu'on fasse la série de trucs habituels, qu'est-ce que vous aimeriez que j'organise pour vous ? Vous comprenez, il reste une quinzaine de jours avant la première d'*Escalade,* hein ? Alors, qu'est-ce que...

Je répondis par une question :

— Pour cette première... que prévoyez-vous ?

Il n'y avait là rien de drôle, ce qui ne l'empêcha pas de s'esclaffer une fois de plus.

– Ha, ha, le grand jeu, bien sûr. Les invitations. Les billets vendus au bénéfice d'une œuvre charitable. Tout le paquet, mon vieux... euh, excusez-moi... vous comprenez, Worldic a donné la consigne d'y aller à fond, dès qu'ils sont revenus de leur surprise, hein !

– Oui, je comprends, soupirai-je.

Après tout, c'était moi qui m'étais mis dans cette situation. J'étais bien obligé de jouer le jeu, en toute honnêteté.

– Écoutez, si vous y tenez, et si vous croyez qu'il y aura des clients, allez-y, organisez un cocktail soit avant, soit après la projection du film, et je serai présent. Et puis un de ces matins, vous pouvez aussi inviter tous vos bons amis de l'aéroport, ainsi que ceux de leurs collègues que vous voudrez y ajouter, à venir prendre avec nous un café, un verre ou je ne sais quoi. Ça vous va ?

Cette fois, il en avait perdu sa langue. Je lui jetai un coup d'œil en coin. Sa bouche s'ouvrait et se refermait comme celle d'un poisson.

J'étouffai un rire. Tout ça, c'était la faute de Nerissa.

– Le reste du temps, ne vous occupez pas de moi. Je saurai très bien me distraire tout seul. D'abord, j'irai aux courses.

– Ah, bon, articula-t-il en recouvrant l'usage de ses maxillaires. Euh... je peux vous trouver quelqu'un pour vous y conduire, si vous voulez.

– Nous verrons, dis-je sans me compromettre.

Nous arrivâmes à l'Iguana Rock, un hôtel très agréable dans la campagne, au nord de la ville. J'y trouvai un accueil courtois et une chambre luxueuse, et on m'indiqua qu'au moindre claquement de doigts de ma part j'obtiendrais tout ce que je voudrais, un verre d'eau glacée ou la compagnie d'une danseuse, à mon gré.

– Je voudrais louer une voiture, dis-je, sur quoi Wenkins s'empressa de proclamer que c'était prévu, qu'il avait tout prévu, que j'aurais une citrouille avec chauffeur constamment à ma disposition, fournie par la Worldic.

Je secouai la tête.

– Non, non, c'est moi qui me l'offre. Mon agent ne vous a-t-il pas précisé que je compte subvenir moi-même aux frais de mon séjour ?

– Si, si, mais… À la Worldic, ils m'ont dit que la note était pour eux…

– Non.

Il éclata d'un rire nerveux.

– Non !… Enfin, je vois, euh… c'est-à-dire, bon…

Ses éructations cessèrent enfin. Il jetait des coups d'œil en tout sens, ses mains esquissaient des gestes incertains, son sourire absurde lui convulsait la bouche et son corps ne tenait pas en place sur ses jambes. Moi qui n'avais pas l'habitude de déclencher une telle panique chez les gens, je me demandais ce qu'avait pu lui raconter mon agent pour le mettre dans cet état.

Il se résigna à sortir de l'hôtel et à retourner à sa voiture, et je me sentis soulagé de son départ. Mais une heure ne s'était pas écoulée qu'il m'appelait au téléphone.

– Est-ce que, euh, demain matin… ça vous irait pour… euh, enfin, recevoir la presse ?

– Oui.

– Alors, euh, voulez-vous demander à votre chauffeur de vous conduire à, euh, Randfontein House, euh… salle Dettrick… C'est un salon de réception, vous comprenez, nous le louons pour… enfin, ce genre de trucs.

– À quelle heure ?

– Oh… disons, onze heures trente ? Est-ce que vous… euh… Pourriez-vous être là à onze heures trente ?

– Oui, dis-je encore, tout aussi laconique, déclenchant un nouveau flot d'interjections pour aboutir à la conclusion qu'il se féliciterait, euh, de m'y accueillir.

Je raccrochai, finis de défaire mes bagages, avalai un café, convoquai la citrouille et je me fis conduire aux courses sans perdre de temps.

4

Les courses de plat, en Afrique du Sud, avaient lieu tout au long de l'année chaque mercredi et samedi, mais irrégulièrement les autres jours. Il m'avait donc paru judicieux d'arriver à Johannesburg un mercredi matin et d'assister, à l'hippodrome de Newmarket, à la seule réunion prévue pour ce jour-là.

Je payai mon ticket d'entrée et achetai un programme. Je vis qu'un des éventuels tocards de Nerissa allait encore courir sa chance plus tard dans l'après-midi.

Newmarket est Newmarket d'un bout du monde à l'autre. Les tribunes, les programmes, les chevaux, les bookmakers; les gens qui vont et viennent d'un air affairé, déterminé; l'ambiance de tradition et d'ordre. Je trouvais tout cela très ressemblant. Je m'aventurai du côté du rond de présentation, où les partants de la première tournaient déjà. Les mêmes petits groupes de propriétaires et d'entraîneurs se tenaient au milieu, échangeant des propos optimistes; la même clientèle de mordus des courses s'accoudait aux barrières pour examiner la condition de leurs favoris.

Les différences étaient peu marquées. À mes yeux d'Anglais, les chevaux paraissaient un peu moins charpentés, avec des boulets très droits, et ce n'étaient pas des lads blancs, vêtus de leurs propres vêtements plutôt sombres qui les guidaient, mais des garçons d'écurie noirs en livrée blanche.

Fidèle à mon principe de ne jouer que des chevaux sur lesquels je suis informé, je m'abstins. Arborant leurs casaques aux couleurs éclatantes, les jockeys enfourchèrent leur monture, les partants s'éloignèrent sur la piste et revinrent au galop, martelant bruyamment de leurs sabots le terrain sec et dur comme de la pierre, et je partis en quête de l'entraîneur de Nerissa, Greville Arknold. Il avait un cheval engagé dans la course suivante et je pensais bien le dénicher quelque part, occupé à le seller.

En fait, je n'eus même pas à chercher. Avant que je n'atteigne le bâtiment qui abritait les boxes, un jeune homme me toucha le bras.

— Dites donc, vous ne seriez pas Edward Lincoln ?

Sans cesser de marcher, je hochai la tête avec un demi-sourire.

— Autant que je me présente. Danilo Cavesey. Je crois que vous connaissez ma tante.

Cette fois, je m'arrêtai. Je lui tendis une main qu'il serra chaleureusement.

— Je savais que vous alliez venir, bien sûr. Tante Nerissa a télégraphié à Greville pour lui dire que vous seriez là à l'occasion de la première d'un film et lui demander de guetter votre visite sur les champs de course. Alors, je m'attendais un peu à vous rencontrer.

Il avait un accent californien aux intonations traînantes, d'une chaleur paresseuse. Je compris tout de suite pourquoi il avait plu à Nerissa : sa belle petite gueule bronzée, son expression avenante, ouverte, sa chevelure brillante et souple, d'un blond-châtain lumineux, tout était conforme à la séduisante image du jeune Américain modèle.

— Elle ne m'avait pas dit que vous étiez en Afrique du Sud, remarquai-je, surpris.

— Hé, non, répondit-il avec un froncement de

nez désarmant. Je ne crois pas qu'elle le sache. Il y a seulement quelques jours que j'ai débarqué ici, en vacances. Dites, comment elle va, cette chère Nerissa ? Elle ne m'a pas paru très en forme la dernière fois que je suis allé la voir.

Il affichait un sourire heureux. Il n'était pas au courant.

– Malheureusement, elle est assez gravement malade.

– Sans blague ? Ça, c'est une mauvaise nouvelle. Il faut que je lui écrive, que je lui dise que je suis ici, pour jeter un coup d'œil sur le problème des chevaux...

– Le problème des chevaux ?

– Hé, oui. Les chevaux qu'elle possède ici n'obtiennent pas de bons résultats. Ils ont des résultats lamentables, pour être plus précis. À votre place, j'éviterais de parier sur le huit dans la quatrième, ajouta-t-il avec un sourire complice, si vous ne voulez pas vivre dangereusement.

– Merci. C'est vrai qu'elle avait fait allusion, en ma présence, à leurs résultats peu satisfaisants ces temps-ci.

– C'est le moins qu'on puisse dire ! Même si on leur laissait deux minutes d'avance et si on droguait les autres partants, ils échoueraient.

– Savez-vous s'il y a une explication ?

– Aucune idée. Greville se ronge les sangs. Il dit que c'est la première fois qu'il lui arrive un truc pareil.

– Ce ne serait pas un virus ?

– Impossible, sans quoi les autres l'attraperaient aussi, ce ne serait pas réservé à ceux de Nerissa. On en a discuté, vous savez, Greville n'y comprend rien.

– J'aimerais bien faire sa connaissance, dis-je sans avoir l'air trop empressé.

– Naturellement. Ça va de soi. Mais dites donc, si on allait un peu se mettre à l'abri du vent et prendre une bière ou autre chose ? Pour le moment, Greville est occupé avec son partant, mais il nous recevra avec plaisir tout de suite après.

– D'accord.

Nous allâmes donc boire une bière. Danilo avait raison : il soufflait un vent du sud glacial et le printemps n'était encore qu'un espoir ou un souvenir.

Le jeune homme devait être âgé d'une vingtaine d'années. Il avait les yeux bleus et brillants, des cils blond-châtain comme ses cheveux et une denture californienne. N'ayant pas encore été aux prises avec les épreuves de l'existence, ce n'était pas forcément un enfant gâté, mais en tout cas quelqu'un qui n'avait été privé de rien.

Il m'apprit qu'il étudiait les sciences politiques à Berkeley et qu'il lui restait encore une année.

– D'ici un an, l'été prochain, j'aurai terminé mes études.

– Qu'est-ce que vous comptez faire après ? demandai-je pour entretenir la conversation.

Une lueur de gaieté brilla dans ses yeux bleus.

– Il faudra sans doute que je me trouve quelque chose, mais pour le moment je n'ai rien de prévu.

L'avenir y pourvoira, pensai-je, en songeant que pour les bénis des dieux du genre de Danilo, c'était généralement le cas.

Nous assistâmes ensemble à la course suivante. Le poulain de Greville fit troisième, pas loin derrière le vainqueur.

– Dommage, soupira Danilo. Je l'avais seulement joué gagnant, pas placé.

– Ça vous coûte cher ?

– Pas trop, je crois. Quelques rands.

Le change donnait un peu moins de deux rands pour une livre. Il ne s'était pas ruiné.

Nous éloignant des tribunes, nous nous dirigeâmes vers l'enceinte des écuries.

– Vous savez quoi ? Vous n'êtes pas du tout ce que j'imaginais.

– Sur quel plan ? demandai-je en souriant.

— Oh, je ne sais pas... Une grande vedette de cinéma, je croyais, comment dire, que cela déplaçait beaucoup d'air...

— Dans la vie, les acteurs ne sont pas plus spectaculaires que n'importe qui.

Il me jeta un regard suspicieux, mais je ne me moquais pas de lui. C'était ma conviction. Lui-même avait beaucoup plus d'éclat naturel que moi. J'aurais pu mesurer quelques centimètres de plus, avoir un peu plus de carrure, mais ce qui fait la différence n'a rien à voir avec les mensurations.

Un homme trapu, au visage renfrogné, faisait le tour du cheval arrivé troisième, en étudiant ses jambes d'un regard scrutateur et en lui palpant les reins.

— Oui, c'est Greville, dit Danilo qui avait suivi mon regard.

L'entraîneur adressa quelques mots à une femme dont j'appris qu'elle était la propriétaire du cheval. À dix mètres de distance, cet homme me parut avoir une attitude brutale et bien peu réconfortante. Je savais que, dans ce métier, il faut s'endurcir si l'on veut préserver sa santé mentale : on ne peut pas passer son temps à demander pardon aux propriétaires si leurs chevaux se font battre, il faut amener les premiers à se rendre compte que malgré l'avoine et l'exercice qu'on a administrés aux seconds, il reste possible que les poulains des autres courent plus vite, en fin de compte. N'empêche que Greville Arknold se montrait franchement désagréable.

Au bout d'un moment, on emmena les chevaux et la foule se dispersa. Les lèvres pincées et la tête rejetée en arrière d'un air buté, Arknold écoutait la femme qui semblait presque, maintenant, lui présenter des excuses. Elle se tut puis, n'obtenant de lui aucune réaction conciliante, elle haussa les épaules avant de s'éloigner.

Une fois seul, l'entraîneur tourna les yeux vers

Danilo. Le regard fixe pendant un instant, il fronça les sourcils. Le jeune homme fit un tout petit geste de la tête dans ma direction et l'autre reporta son attention sur moi.

Après avoir marqué à nouveau un temps de lente évaluation, il vint vers nous.

Danilo fit les présentations, il avait l'air de trouver très excitant pour chacun de nous de faire la connaissance de l'autre. Un privilège réciproque.

Quelle joie !

Greville Arknold ne m'a jamais inspiré aucune sympathie, ni à ce moment-là, ni par la suite. Pourtant, il me fit assez bon accueil : il me sourit, me serra la main en déclarant qu'il était ravi de me voir, que Mme Cavesey lui avait télégraphié pour dire que je viendrais peut-être aux courses et pour lui demander de s'occuper de moi.

Il avait l'accent afrikaner et je pus constater plus tard qu'à l'instar de nombreux Sud-Africains, il était trilingue : il parlait l'anglais, l'afrikaans et le zoulou. Le visage constitué d'épaisses tranches de chair, il avait des lèvres si minces qu'elles existaient à peine, des cicatrices d'acné sur le menton et jusque sur le cou, et une moustache poivre et sel, aux poils raides, haute de deux centimètres et large de cinq. Il avait beau se confondre en sourires et en propos de bienvenue, son regard restait glacial.

— Votre pensionnaire a plutôt bien couru, tout à l'heure, avançai-je pour alimenter la conversation.

La colère reprit aussitôt le dessus dans son comportement.

— Cette idiote tenait absolument à faire courir son poulain aujourd'hui, alors que moi, je voulais l'inscrire pour samedi. Il a subi une dure épreuve à Turffontein samedi dernier. Il lui a manqué trois jours de repos.

— Cette dame avait l'air de vouloir s'excuser.

– Ja. C'est vrai. Mais c'est trop tard. Il fallait faire preuve d'un peu de bon sens. C'est un excellent petit poulain, celui-là. Il aurait gagné, samedi. Ça ne rime à rien. Un propriétaire devrait toujours écouter l'entraîneur. Il paie pour notre savoir-faire, non ? Alors, il n'a qu'à s'en remettre aux conseils de l'expert.

Je répliquai par un vague sourire qui ne m'engageait à rien. En tant que propriétaire, même si ce n'était que d'un modeste hongre de steeple-chase, je n'acceptais pas son « toujours ». Quelquefois, d'accord, et même en général. Mais pas toujours. Je connaissais au moins un gagnant du *Grand National* qui n'aurait pas pris le départ si son propriétaire avait tenu compte de l'avis de l'entraîneur.

– Je vois que Mme Cavesey a un cheval engagé dans la quatrième, dis-je.

L'expression sentencieuse fit place à une légère crispation.

– Ja. Elle vous a peut-être dit que ses chevaux ne marchent pas fort.

– Oui, et que vous n'en voyez pas du tout la raison.

Il secoua la tête.

– Non, je n'y comprends rien. On les soigne pareil que les autres. Même alimentation, même entraînement. Ils ne sont pas malades. Je les ai fait examiner par un vétérinaire, plusieurs fois. C'est très préoccupant.

– Sûrement.

– Et les recherches de dopage : on a bien dû faire une centaine d'analyses. Toutes négatives.

– Ils ont l'air en forme ? Enfin, vous attendriez d'eux de meilleurs résultats, à les voir ?

– Vous n'avez qu'à y jeter un coup d'œil vous-même, répliqua-t-il avec un haussement d'épaules. C'est-à-dire... je ne sais pas si vous vous y connaissez...

– Je parie qu'il s'y connaît très bien, intervint

Danilo. C'est pas un secret que son paternel travaillait dans une écurie.

– Sans blague ? Alors, ça vous intéressera peut-être de faire un tour chez nous ? Vous pourriez même nous trouver une explication pour le lot de Mme Cavesey, sait-on jamais...

L'ironie du ton montrait bien qu'il n'en croyait rien. Ce qui signifiait que, soit il ignorait réellement ce qui clochait chez ces chevaux, soit il le savait mais il avait la certitude absolue qu'il me serait impossible de le découvrir.

– J'aimerais beaucoup visiter vos écuries.

– Parfait. C'est d'accord. Demain après-midi, ça vous irait ? Vous ferez le tour avec moi, à l'heure du pansage. Seize heures trente ?

J'acquiesçai.

– Et vous, Danilo, vous voulez venir aussi ?

– C'est une très bonne idée, Greville. Ça me plaît tout à fait. Super !

La visite était donc arrangée, et Danilo m'offrit de passer me chercher lui-même à l'Iguana Rock le lendemain.

Chink, le poulain de Nerissa engagé dans la quatrième, avait plutôt belle allure dans le rond de présentation, avec sa robe luisante de santé et des muscles qui paraissaient vigoureux, souples et détendus. Sans posséder beaucoup de volume, il avait une tête intelligente et des épaules longues et fortes. Portia, la sœur de Nerissa, avait payé le yearling vingt-cinq mille rands sur la foi de sa filiation, et il n'avait remporté qu'une seule course, la première, voilà plusieurs mois déjà, en avril.

– Quelle impression vous fait-il, Link ? me demanda Danilo, la hanche appuyée sur la barrière.

– Il m'a l'air en bonne forme.

– Oui. C'est le cas de tout le lot, d'après Greville.

Deux lads, un de chaque côté, promenaient Chink dans le rond de présentation. Rien à reprocher aux dispositions prises par Arknold en matière de sécurité.

Les boulets étaient trop droits pour me permettre de bien évaluer le degré d'élasticité de la foulée de Chink. Tous les chevaux me faisaient l'effet de se tenir sur la pointe des pieds, posture que j'attribuais au fait que, depuis leur naissance, ils foulaient un terrain durci par la sécheresse. En tout cas, le poulain de Nerissa n'avait pas une action plus relâchée que les autres pour gagner le poteau du départ, et il prit place dans sa boîte puis en jaillit sans aucun problème. Je suivis son parcours foulée après foulée à travers mes jumelles Zeiss 8 x 50.

Il avala les cinq cents premiers mètres sans effort apparent, en sixième position ou quelque chose comme ça, bien en sûreté, juste derrière le peloton de tête. Quand ils abordèrent la dernière ligne droite, les chevaux de tête accélérèrent mais pas Chink. Je vis plonger et rebondir la tête du jockey et tout son corps s'activer tant qu'il pouvait pour essayer de maintenir sa monture dans la course. Mais, quand un jockey est obligé de faire un tel travail de si loin, autant qu'il renonce tout de suite. Chink était au bout du rouleau et le meilleur cavalier du monde n'y aurait rien changé.

J'abaissai mes jumelles. La cloche saluait la victoire durement acquise du premier, la foule hurlait et Chink rentra sans acclamations, sans soutien, sans qu'on le regarde, battu d'une bonne trentaine de longueurs.

Avec Danilo, je le rejoignis aux écuries où on le dessellait, et je retrouvai Greville Arknold, perplexe et exaspéré.

– Et voilà, me lança-t-il, vous l'avez vu !

– Oui.

Chink était en sueur et il paraissait fatigué. Immobile, la tête basse, on aurait cru qu'il avait le sentiment de sa disgrâce.

– Qu'est-ce que vous en pensez ? demanda Arknold.

Je secouai la tête sans rien dire. En fait, il avait simplement eu l'air d'un cheval débordé, mais, d'après ses origines et le temps rapide de la course qu'il avait remportée, ce n'était pas logique.

Ils ne pouvaient pas tous, les dix autres et lui, avoir le cœur faible, ou une mauvaise denture, ou des troubles du sang. Cela ne serait d'ailleurs pas passé inaperçu. Pas après des examens vétérinaires très poussés. C'était inconcevable.

Le jockey qui les avait montés n'était pas le même chaque fois. En lisant la documentation de Nerissa, j'avais appris qu'on comptait très peu de jockeys en Afrique du Sud, comparé à l'Angleterre : ils n'étaient que treize, plus vingt-deux apprentis, à monter à l'hippodrome du Natal près de Durban, censé constituer le centre de ce sport.

Il y avait quatre champs de courses principaux : l'hippodrome de Johannesburg dans le Transvaal, celui de Pietermaritzburg – Durban dans le Natal, Port Elizabeth dans l'Eastern Cape, et Le Cap pour la province du même nom. Dans le lot de Nerissa, plusieurs chevaux avaient connu les quatre, montés par les jockeys locaux, en obtenant toujours des résultats identiques.

Rapides jusqu'en mai, d'une fatale lenteur à partir du mois de juin.

Puisqu'ils se déplaçaient, on ne pouvait sans doute pas trouver la cause dans leur hébergement de base.

Pas de maladie. Pas de doping. Pas de domicile permanent. Pas de jockey régulier.

De tous ces éléments se dégageait une seule explication. Une seule source possible du désastre.

L'entraîneur lui-même.

Il est facile à un entraîneur de faire en sorte que son cheval ne gagne pas, s'il le veut. Il n'a qu'à lui infliger un galop d'exercice trop rude et trop rapproché de la course. Trop de courses ont été perdues accidentellement de cette manière pour qu'on puisse jamais prouver que quelqu'un l'aurait fait exprès.

Il est rare que les entraîneurs cassent leurs propres chevaux parce qu'ils ont évidemment davantage à gagner en cas de victoire. Mais il me semblait que la responsabilité d'Arknold s'imposait à l'esprit, même si la méthode employée se révélait être la plus simple du monde.

Je pensai que, pour résoudre le problème de Nerissa, il fallait transférer ses chevaux chez un autre entraîneur.

Je pensai également que je ferais tout aussi bien de prendre immédiatement le chemin du retour pour l'en informer.

À cela, deux sérieux obstacles.

J'étais tenu d'assister à la première de mon film, dans quinze jours.

Et peut-être avais-je deviné le qui et le comment, pour les chevaux.

Mais le pourquoi, je n'en avais pas la moindre idée.

5

Ces messieurs-dames de la presse (en d'autres termes, une foule de gens rasés de plus ou moins près, en col roulé, d'une désinvolture étudiée et d'une solide ignorance du sujet) se levèrent en bâillant à mon entrée dans la salle Dettrick de Randfontein House, sur le coup de onze heures trente du matin.

J'avais été accueilli dans le hall par un Clifford Wenkins plus fébrile que jamais, avec la paume des mains plus moite encore. Dans l'ascenseur, il m'expliqua qui il avait invité et qui était venu. Les journalistes de la radio. Ça ne me dérangerait pas, espérait-il. Ils se contenteraient d'enregistrer mes réponses à leurs questions. Dans un petit micro. Si ça ne me dérangeait pas... Et puis il y avait les quotidiens, les hebdomadaires, la presse féminine et une ou deux personnes venues tout exprès en avion du Cap et de Durban.

Je me serais battu d'avoir fait cette proposition. Trop tard à présent pour m'enfuir.

Le seul moyen de m'en tirer, pensai-je pendant que, dans un lent chuintement, l'ascenseur s'immobilisait et que les portes s'ouvraient, c'était de faire une sorte de numéro. De jouer la comédie.

— Attendez une minute, dis-je à Wenkins.

Il s'arrêta près de moi devant l'ascenseur dont les portes se refermaient.

— Qu'y a-t-il ? demanda-t-il, plein d'angoisse.

– Rien. J'ai simplement besoin de quelques secondes avant d'y aller.

Il n'avait pas l'air de comprendre, même si mon comportement n'avait rien de très particulier aux acteurs. La Bible appelle ça « se ceindre les reins ». Mettre en route la montée d'adrénaline. Amener le cœur à battre plus vite. Passer la vitesse mentale supérieure. Cela ne prend pas plus de trois secondes à un homme politique entraîné.

– O.K., dis-je.

Avec un soupir de soulagement, il s'élança vers une lourde porte de bois luisant qu'il poussa.

Nous fîmes notre entrée.

Ils s'extirpèrent des canapés. Se levèrent, s'écartèrent pesamment des murs; un ou deux écrasèrent leur cigarette, les autres continuèrent de souffler de lourds nuages de fumée.

– Bonjour, lança l'un des hommes, tandis que ses collègues, meute de fauves, attendaient aux aguets.

Il avait été parmi les embusqués de l'aéroport. Il n'avait aucune raison, pas plus qu'aucun d'entre eux, de croire que j'allais réagir différemment aujourd'hui.

– Salut, répondis-je.

Oui, quand je le voulais, j'étais capable de jouer ce jeu-là, comme n'importe quel professionnel.

Je les vis se détendre, leur fatigue disparut et leurs yeux sourirent. Ils n'allaient plus m'éreinter dans leurs papiers, même s'ils s'apprêtaient encore à me larder de ces questions soigneusement affûtées qu'ils tiennent tous en réserve dans leur carnet.

Celui qui avait entrouvert la bouche pour dire bonjour, apparemment leur leader naturel, me tendit la main en se présentant :

– Roderick Hodge, du *Rand Daily Star*. Rédacteur en chef adjoint, section spectacles.

Pas loin de la quarantaine, mais il feignait de ne pas donner prise aux années : coupe de cheveux, style vestimentaire, tournures de langage juvéniles. Un certain panache, mais aussi des traces visibles du cynisme, de l'absence de scrupules propres à beaucoup de journalistes expérimentés.

Je lui serrai la main et lui souris comme à un ami. J'avais besoin de lui dans ce rôle.

– Écoutez, dis-je. À condition que vous ne soyez pas trop pressés, je propose que tout le monde se rassoie, comme ça vous pourrez tous me poser la question que vous voulez, peut-être par petits groupes, et je pourrais aller de l'un à l'autre, chacun aurait de la sorte plus de temps que si je reste bêtement planté en face de vous.

Ils n'avaient rien contre. Aucun n'était trop pressé. Personne en tout cas ne s'en irait, déclara Roderick, avant qu'on ait vidé un verre, et l'atmosphère commença à tourner gentiment à la rencontre copains-copains entre gens de métiers complémentaires.

En gros, c'étaient d'abord les questions personnelles qui tombaient.

D'après leurs calculs, j'avais trente-trois ans. Était-ce exact ?

Exact.

Marié ? Oui. Heureux en ménage ? Oui. Premier ou deuxième mariage ? Premier. Pour elle aussi ? Oui.

Ils voulaient savoir combien j'avais d'enfants, leur nom, leur âge. Combien ma maison comportait de pièces, combien elle avait coûté. Combien de voitures, de chiens, de chevaux, de yachts je possédais. Combien je gagnais par an, combien on m'avait payé pour *Escalade*. Combien je donnais à ma femme pour sa garde-robe. Est-ce que j'estimais que la place d'une femme était à la maison ?

– Dans mon cœur, répliquai-je, ce qui plut à l'envoyée du magazine féminin qui m'avait posé la question, mais parut visiblement trop « fleur bleue » à tous les autres.

Pourquoi est-ce que je ne me fixais pas dans un paradis fiscal? J'aimais l'Angleterre. Un luxe coûteux? Très. Étais-je milliardaire? Peut-être certains jours, sur le papier, quand le cours de mes actions montait. Si j'étais tellement riche, pourquoi est-ce que je travaillais? Pour payer mes impôts.

Clifford Wenkins avait fait monter du café, des biscuits au fromage et des bouteilles de scotch. La presse versa du whisky dans son café en soupirant d'aise. Moi, je gardai le mien à part, mais j'eus tout le mal du monde à persuader le serveur que je n'aimais pas boire l'alcool dilué dans neuf fois son volume d'eau. En Afrique du Sud, j'avais déjà pu m'en apercevoir, ils ont tendance à remplir le verre à ras bord; j'imaginais que cela se justifiait pour un *long drink* par temps chaud, mais, vu la fraîcheur qui régnait actuellement, cela ne servait qu'à gâcher du bon scotch.

Clifford Wenkins contemplait mon peu de liquide dans le grand verre.

– Je vais vous chercher de l'eau.

– Ça va, merci. Je le préfère comme ça...

– Ah, bon... vous êtes sûr?

S'étant éloigné tout affairé, il revint en compagnie d'un barbu équipé d'un micro au bout d'un long câble, totalement dépourvu d'humour, ce qui donna lieu à une interview plutôt poussive, me sembla-t-il, mais il m'assura que mes propos étaient parfaits, juste ce qu'il fallait pour un sujet de cinq minutes dans son magazine du samedi soir. Il me reprit le micro que je tenais et me serra la main avant de disparaître derrière un grand déballage d'accessoires techniques, dans un coin du salon.

Après quoi j'étais censé enchaîner sur une autre interview, cette fois pour une émission féminine, mais on me dit qu'un petit problème avait surgi avec le matériel.

Je fis tout le tour de la pièce en changeant de place à cadence régulière, tantôt assis par terre, tantôt sur le bras d'un fauteuil, adossé à un rebord de fenêtre ou debout, tout simplement.

La langue déliée par le whisky, les journalistes posaient maintenant des questions différentes.

Qu'est-ce que je pensais de l'Afrique du Sud ? Le pays me plaisait.

Quelles étaient mes opinions au sujet de leur vie politique actuelle ? Je n'en avais pas. J'étais arrivé chez eux la veille. Un jour, c'est trop court pour se faire une idée.

La plupart des gens en avaient de préconçues quand ils débarquaient, me firent-ils observer. Je répliquai que cela ne me paraissait pas très judicieux.

Alors, qu'est-ce que je pensais de la ségrégation raciale ? Sans fièvre, je répondis que toute forme de discrimination, à mon avis, ne pouvait qu'engendrer l'injustice. Je trouvais dommage, ajoutai-je, que diverses nations se croient obligées de pratiquer la discrimination envers les femmes, les juifs, les Aborigènes, les Indiens d'Amérique et un ami à moi, à Nairobi, qui n'obtenait aucune promotion, dans un métier où il excellait, à cause de la couleur blanche de sa peau.

Je conclus que je ne pouvais répondre davantage à ce genre de questions et que je leur serais reconnaissant de quitter le terrain de la politique et des droits civiques, à moins qu'ils n'aient envie, de leur côté, de m'expliquer la différence entre les thèses économiques du parti conservateur et celles du parti travailliste en Grande-Bretagne.

Ils rirent. Non, convinrent-ils. Pas vraiment.

Revenant au domaine du cinéma, ils me posèrent de nouvelles questions auxquelles je me sentais plus qualifié pour répondre.

Était-il vrai que j'avais commencé par faire le

cascadeur ? Plus ou moins. J'avais chevauché à travers toutes les aventures possibles, de *Robin des Bois* à *La Charge de la Brigade légère*. Et voilà qu'un jour où je faisais un petit truc en solo, le metteur en scène m'avait appelé, m'avait donné deux ou trois répliques à dire et m'avait annoncé que j'étais engagé. Une histoire bien romanesque, mais je n'y pouvais rien : cela se passait parfois ainsi.

Après ? Après, j'avais obtenu un meilleur rôle dans son film suivant. Quel âge avais-je à l'époque ? Vingt-deux ans, jeune marié, je me nourrissais de haricots en boîte dans un petit logement miteux et suivais depuis trois ans, quand j'en avais le temps, un cours de diction et d'art dramatique.

Je me trouvais debout, plus ou moins au centre de la pièce, quand la porte s'ouvrit derrière moi. Ayant tourné la tête d'un air contrarié pour voir qui c'était, Clifford Wenkins se précipita pour tenter de faire barrage à l'intrus.

— Je vous assure que vous ne pouvez pas entrer, voyons. C'est un salon privé. Une réception privée... Je regrette, mais si vous voulez bien... Voyons, vous ne pouvez pas... c'est un salon privé... Voyons...

Manifestement, Wenkins n'avait pas le dessus. Ce qui n'était pas pour m'étonner.

C'est alors que je sentis une tape vigoureuse sur mon épaule et reconnus une voix familière.

— Link, mon petit. Sois gentil, explique à cet... euh, cette personne que nous sommes de vieux copains. Il n'a pas eu l'air content que j'entre ici. Je me demandais...

Je me retournai en ouvrant des yeux stupéfaits.

— Peut-être pourriez-vous consentir à ce qu'il reste, dis-je à Wenkins. C'est vrai que je le connais. C'est un cameraman.

Conrad haussa des sourcils choqués.

— Comment ça, cameraman ? Directeur de la photographie, mon petit.

– Oh, pardon. Tu veux un whisky ?

– Ça, au moins, c'est parler, mon petit.

Battant en retraite, Wenkins alla chercher un verre pour Conrad. Celui-ci observait l'ambiance détendue, ainsi que les aimables journalistes, qui bavardaient par petits groupes.

– Nom d'un chien ! Nom d'un petit chien ! Je n'en crois pas mes yeux. En fait, je n'ai pas voulu le croire quand on m'a affirmé qu'Edward Lincoln donnait une conférence de presse ici même, à Johannesburg, en ce moment précis. J'ai parié que c'était de la blague. Alors on m'a dit où ça se passait. Dans ce salon à grand tralala en haut de Randfontein, je n'avais qu'à aller vérifier moi-même. Voilà pourquoi je suis là.

Un rire commença à ronfler quelque part dans le fond de ses entrailles pour s'achever en éruption bruyante mêlée d'une quinte de toux.

– Arrête, dis-je.

Il écarta les bras pour désigner le salon tout entier.

– Ils ne savent pas, ils ne se doutent même pas de ce dont ils sont les témoins, n'est-ce pas ? Ils ne peuvent pas se figurer...

– Tiens-toi tranquille, Conrad, tu veux ?

Son fou rire ne l'abandonnait pas.

– Ça, alors, mon petit ! Je ne t'en aurais pas cru capable. Ailleurs que sur un plateau, bien entendu. Donner à manger dans le creux de ta main à une bande de tigres apprivoisés, c'est une plaisanterie, à côté. Quand Evan saura ça !

– Il y a peu de chances, rétorquai-je sans m'émouvoir. À huit mille kilomètres d'ici, environ...

Son rire le secouait de plus belle.

– Pas du tout, mon petit. Il est ici même, à Johannesburg. Dans la rue d'à côté, pratiquement.

– Ce n'est pas possible !

– Nous sommes ici depuis dimanche, me révéla-t-il en étouffant ses derniers hoquets et en s'essuyant les yeux du bout du pouce. Viens donc manger un morceau, mon petit, je te raconterai tout ça.

Je regardai ma montre. Midi et demi.

– D'accord, dans un petit moment. J'ai encore un bout d'enregistrement à faire, dès qu'ils auront trouvé un micro de rechange.

Se détachant d'un groupe installé près d'une fenêtre, Roderick Hodge nous rejoignit, accompagné d'une jeune femme décorative; ils coiffaient presque sur le poteau Clifford Wenkins qui apportait le whisky de Conrad.

La jeune femme, celle qui devait faire l'interview pour l'émission féminine, possédait ce genre de visage qui pourrait être quelconque, associé à une autre personnalité; mais elle avait aussi une masse touffue de cheveux châtains bouclés, d'énormes lunettes de soleil à monture jaune et une silhouette filiforme, vêtue d'un costume, veste et pantalon, à carreaux orange et fauve. La chaleur spontanée de son attitude interdisait qu'on la prît pour une caricature. D'un œil connaisseur, Conrad évaluait sa température de couleur tout en expliquant qu'il avait tourné quatre films avec moi dans un passé récent.

L'attention de Roderick se localisa aussitôt sur lui comme un objectif au travers duquel on fait le point.

– Comment c'est, de travailler avec lui ?

– Ah, non, ce n'est pas de jeu ! m'exclamai-je. Ni Roderick ni Conrad ne se soucièrent de mes protestations. Le chef opérateur posa sur moi son regard judicieux, plissa les lèvres, leva la main et replia les doigts l'un après l'autre, tout en faisant claquer avec délectation les mots sur sa langue.

– Patient, puissant, ponctuel, professionnel et puritain. Ça te va ? me glissa-t-il en aparté de théâtre.

– Tu en fais un peu trop.

Comme on pouvait s'y attendre, Roderick saisit au bond le dernier qualificatif.

— Puritain ? C'est-à-dire ?

Conrad s'amusait bien.

— Toutes ses partenaires de l'écran se plaignent qu'il mette plus de talent que d'élan dans ses baisers.

Je voyais déjà les intertitres s'inscrire dans le cerveau de Roderick. Il avait l'œil brillant.

— Mes fils n'aiment pas ça, dis-je.

— Pardon ?

— Quand l'aîné m'a vu, dans un film, embrasser une femme qui n'était pas sa mère, il ne m'a plus adressé la parole pendant huit jours.

Ils éclatèrent de rire.

Pourtant, sur le moment, je n'avais pas trouvé ça drôle du tout. Peter avait aussi recommencé à mouiller son lit, à cinq ans passés; il pleurait à tout bout de champ et un psychiatre pour enfants nous avait expliqué que cela provenait d'un complexe d'insécurité : il sentait s'écrouler son univers parce que papa embrassait d'autres dames et se disputait avec maman à la maison. C'était arrivé si peu de temps après l'accident de Libby que nous nous étions demandé si cela le tourmentait aussi; mais nous ne lui avions jamais révélé que le mal de Libby provenait de ce qu'il l'avait laissée tomber, nous n'avions jamais voulu qu'il le sache. On ne peut pas accabler la conscience d'un enfant du poids d'un tel fardeau : un sentiment de culpabilité sans aucun sens, qui risquerait d'infléchir tout son développement.

— Comment vous en êtes-vous sorti ? me demanda gentiment la fille.

— Je l'ai emmené voir des films d'épouvante sans histoire d'amour.

— C'est ça, commenta Conrad.

Clifford Wenkins revenait, tout gesticulant, d'une nouvelle expédition précipitée. La sueur s'accrochait en grosses gouttes aux sillons de son front. Comment faisait-il, pensai-je, quand venait l'été ?

Il me colla triomphalement son micro dans les mains. Le câble partait du coin où était groupé tout le matériel d'enregistrement.

– Nous y sommes... euh... tout est arrangé, quoi. (Manifestant une contrition plus vive qu'il n'était nécessaire, son regard implorait alternativement le mien et celui de la jeune femme.) Ma chère Katya, euh... tout est prêt, je crois.

– J'ai appris un seul mot d'afrikaans hier aux courses, dis-je à Conrad en le regardant, et tu n'as qu'à t'y conformer pendant que j'enregistre cette interview.

– Quel mot ? demanda-t-il, soupçonneux.

– *Voetsek*.

Poliment, ils se plièrent tous en deux. *Voetsek* signifie « fiche le camp ».

Le fou rire de Conrad reprit, comme une crise à répétition, dès qu'on lui eut expliqué.

– Si seulement Evan pouvait voir ça...

– Oublions Evan, suggérai-je.

Conrad prit Roderick par le bras et l'entraîna. Ils s'éloignèrent en savourant chacun son sujet de divertissement.

Les yeux plutôt petits de Katya riaient derrière les énormes lunettes jaunes.

– Dire qu'on racontait qu'à l'aéroport vous étiez ce qui se faisait de plus raide dans le style poisson congelé...

Je lui adressai un sourire en biais.

– Peut-être étais-je fatigué... Quel genre de questions allez-vous me poser ? demandai-je en regardant le carnet qu'elle tenait en main.

– Oh, rien de bien différent des autres, j'imagine.

Mais ses yeux jetèrent une brève lueur maligne qui n'annonçait rien de bon.

– Tout est prêt, Katya, lança un homme posté

devant la rangée de caisses et cadrans électroniques. Quand tu veux.

– Très bien.

Elle baissa les yeux sur son carnet avant de les lever à nouveau vers moi. Je me trouvais à un mètre d'elle environ, mon verre dans une main et le micro dans l'autre. Sa tête bouclée penchée sur le côté, elle étudia cette disposition puis se rapprocha d'un grand pas, presque à me toucher.

– C'est mieux ainsi, je trouve. On aura trop de bruit de fond si l'un ou l'autre de nous est trop loin du micro. À en juger à l'œil nu, il n'a pas l'air de dater d'hier. Et puis, après tout, il vaut peut-être mieux que ce soit moi qui le tienne. Vous n'avez pas l'air très à l'aise... O.K., Joe, contact, cria-t-elle à travers le salon.

Joe mit l'appareil en marche.

Saisie par une terrifiante secousse de la tête aux pieds qui la cambra en arrière et la souleva, Katya retomba, terrassée.

Interrompant leurs murmures paisibles, les têtes se tournèrent, exprimèrent l'épouvante, poussèrent des cris.

– Vite, débranchez, hurlai-je. Débranchez tout. Tout de suite.

Roderick fit deux pas et se pencha sur Katya, les mains tendues pour la secourir, et je dus le tirer en arrière.

– Faites d'abord débrancher par Joe ce micro de merde, sans quoi vous allez aussi prendre tout le jus.

Le Joe en question arrivait en courant, la mine verdâtre.

– C'est fait, dit-il, j'ai tout débranché.

J'aurais cru que tout le monde, que n'importe lequel d'entre eux savait ce qu'il fallait faire et le ferait. Mais ils restaient plantés là ou s'agenouillaient en me regardant, comme si c'était à moi qu'il revenait de connaître la marche à suivre et d'agir, d'incarner l'homme plein de ressources de tous ces films où il prend toujours la direction des opérations, toujours…

Miséricorde.

Il fallait voir tous ces gens. Alors qu'il n'y avait pas de temps à perdre. Pas une minute. Elle ne respirait plus.

Je m'agenouillai près d'elle et lui ôtai ses lunettes. J'ouvris le col de son chemisier, mis sa tête en hyperextension. Puis je plaquai ma bouche sur la sienne et soufflai de l'air dans ses poumons.

– Trouvez un docteur, disait Roderick. Et une ambulance… Mon Dieu… Vite, vite…

Je lui insufflais ma respiration. Pas trop fort. Pas plus fort que le souffle normal. Mais sans relâche, en pompant sur son thorax.

Une électrocution arrête le cœur.

J'essayais de sentir battre le pouls dans son cou, mais sans le trouver. Comprenant le sens du tâtonnement de mes doigts, Roderick lui prit le poignet mais, là non plus, il ne sentit rien. Il avait l'air au supplice. Katya était apparemment beaucoup plus pour lui qu'une simple consœur…

Deux minutes passèrent comme deux siècles. Roderick collait son oreille sur le sein gauche de Katya. Je continuais le bouche-à-bouche avec le sentiment, à mesure que s'égrenaient les secondes, que cela ne servirait à rien, qu'elle était morte. Sa peau était d'une pâleur sépulcrale, et très froide.

Il entendit le premier battement avant moi. Je le lus sur son visage. Puis je perçus deux secousses distinctes dans l'artère sur laquelle reposaient mes doigts sous son menton, suivies de plusieurs tressautements irréguliers et enfin, miracle, le rythme lent, de plus en plus fort, donneur de vie, d'un cœur qui s'était remis au travail.

La bouche de Roderick s'était contractée quand il releva la tête, et les tendons de son cou saillaient sous l'effort fourni pour ne pas pleurer. Malgré tout, des larmes de soulagement coulaient sur ses joues et il essayait de les faire disparaître avec ses doigts.

Je feignis de ne rien voir, puisqu'il y tenait. Mais je savais, le ciel me pardonne, que je reprendrais un jour cette expression, cette réaction dans un film. Quoi qu'on apprenne, quoi qu'on voie, si intime que cela soit, on finit par s'en servir quand on est un acteur.

Katya inspirait à présent de manière convulsive, d'elle-même. C'était une sensation extraordinaire pour moi, comme si elle tétait l'air que je lui donnais.

J'écartai ma bouche de la sienne et cessai de lui maintenir les mâchoires ouvertes. Sa respiration continua : d'abord un peu saccadée, puis bientôt tout à fait régulière, un souffle bruyant, peu profond qui lui secouait le corps.

— Il faudrait qu'elle ait plus chaud, dis-je à Roderick. Elle a besoin de couvertures.

Il me regarda d'un air égaré.

— Oui. Des couvertures.

— Je vais en chercher, dit quelqu'un, et une soudaine agitation remplaça le silence en suspens dans le salon où, l'épouvante ayant cédé la place à l'inquiétude puis au soulagement, on reprenait vie maintenant à grand renfort de whisky.

Je vis Clifford Wenkins qui contemplait Katya encore sans connaissance. Son visage gris sur lequel la sueur n'avait pas encore eu le temps de sécher évoquait le mastic suintant. Pour une fois, en tout cas, il avait été réduit au silence.

De son côté, Conrad semblait avoir temporairement remisé ses « mon petit ». Mais il me vint à l'esprit que son visage figé pour regarder ce qui se passait n'exprimait aucune angoisse. Il faisait son métier, tout comme moi : il observait une électrocution en termes d'angles de caméra, d'ombres expressives, de couleurs chargées d'impact. Et je me demandai à quel degré la récupération des souffrances des autres pour notre propre usage devenait un péché.

On apporta enfin des couvertures, dans lesquelles Roderick enveloppa Katya de ses mains tremblantes. Puis il lui mit un coussin sous la tête.

– N'en attendez pas trop quand elle va revenir à elle, lui dis-je. Je crois qu'elle sera commotionnée.

Il hocha la tête. Les joues de Katya retrouvaient leur couleur. Elle avait l'air bien en vie. Le moment de peur atroce était passé.

Il leva soudain les yeux vers moi, puis les baissa à nouveau sur elle, avant de me regarder encore. Après l'émotion à l'état brut, les idées recommençaient à prendre forme dans sa tête.

– Vous êtes Edward Lincoln... dit-il lentement comme s'il en avait la révélation.

Le journaliste se trouvait à son tour confronté à un problème de conscience : fallait-il ou non tirer professionnellement parti de cet épisode où son amie avait frôlé la mort ?

Je fis des yeux le tour de la pièce, ainsi que lui. Les rangs étaient décimés. En croisant le regard de Roderick, je savais ce qu'il pensait : ses confrères s'étaient précipités sur les téléphones, et il n'y avait plus d'autre journaliste que lui, du *Rand Daily Star*.

Il observa encore la jeune femme.

– Elle est saine et sauve, à présent, hein ?

En guise de réponse, j'esquissai un geste des mains indiquant que je ne me prononçais pas. Saine et sauve, je n'en étais pas sûr. À mon avis, son cœur n'avait pas dû cesser de battre pendant beaucoup plus de trois minutes, et donc, avec un peu de chance, le cerveau n'aurait pas subi de dommages irréparables. Mais toute ma science provenait des souvenirs imprécis d'un lointain cours de secourisme.

Chez Roderick, le journaliste l'emportait.

– Vous pouvez faire quelque chose pour moi ?

me lança-t-il en se redressant tout d'un coup. Ne les laissez pas l'emmener à l'hôpital ou ailleurs avant mon retour.

— Je ferai de mon mieux, dis-je, sur quoi il décampa.

Joe, le technicien de la radio, enroulait le fil du micro défectueux après l'avoir précautionneusement débranché de sa prise.

— Il est tellement antique que je ne savais même pas que nous l'avions, remarqua-t-il en le considérant d'un œil torve. Il se trouvait là dans la boîte… Je m'en veux d'avoir décidé de l'utiliser. Je pensais que ça gagnerait du temps, au lieu de continuer à attendre le micro de rechange qu'on était allé chercher au studio. En tout cas, je vais faire en sorte qu'il ne puisse plus nuire. Je vais le démonter et le jeter à la poubelle.

Revenu près de moi, Conrad observait Katya qui commençait à retrouver ses esprits. Ses paupières papillotaient. Elle bougea sous les couvertures.

— Tu as sûrement remarqué, mon petit, que très peu de temps avant l'accident, c'était toi qui tenais ce micro.

— Oui, dis-je d'un ton neutre. J'ai remarqué.

— Et combien de personnes, au juste, ont paru savoir que le seul espoir de sauver un électrocuté, c'est la respiration artificielle immédiatement mise en œuvre ?

Je le regardai droit dans les yeux.

— Le savais-tu, toi ?

Il soupira.

— Ce que tu peux être impitoyable, mon petit ! Non, j'avoue que je l'ignorais.

6

À quatre heures de l'après-midi, Danilo se présenta à l'Iguana Rock, au volant d'une Triumph de location, avec une chemise écarlate au col ouvert et un large sourire qui rehaussaient son bronzage.

Il n'y avait pas une heure que j'étais rentré, après avoir pris avec Conrad une bière et un sandwich dans un bar discret. Katya avait été emmenée à l'hôpital, escortée par un Roderick en émoi, et les autres journalistes s'usaient les doigts sur le clavier de leur machine à écrire. À je ne sais trop quel moment du drame, Clifford Wenkins s'était esquivé, et en partant, Conrad et moi l'avions aperçu qui se livrait, lui aussi, à de grands discours au téléphone. Il faisait sans doute son rapport à la Worldic. J'avais étouffé un soupir d'accablement. Pas la moindre chance que cette affaire passe inaperçue de quiconque.

Danilo bavardait, de son air désinvolte, en nous pilotant sur le boulevard Sir de Villiers Graaf, la voie express de ceinture qui débarrassait les citadins du flot de la circulation en le faisant passer au-dessus de leur tête.

– Je n'ose pas imaginer à quoi pouvait ressembler Johannesburg avant qu'ils construisent cette voie, commentait Danilo. Ils ont encore un gros problème d'embouteillages dans le centre. Quant au stationnement... Il y a plus de voitures garées le long des rues que de bandits manchots dans le Nevada...

– Vous êtes donc là depuis un certain temps ?

– Mais non, quelques jours seulement. Mais j'étais déjà venu une fois et de toute façon, au bout de vingt minutes on a compris que tous les parkings sont complets en permanence et qu'on n'aura jamais la moindre chance de se garer à moins de cinq cents mètres de l'endroit où l'on va.

Il conduisait d'une main sûre et décontractée, à gauche, ce qui était habituel pour moi mais pas pour lui.

– Greville est installé près de Turffontein, dit-il. Nous devrions quitter bientôt la voie express. Cette signalisation, est-ce qu'elle n'indiquait pas la bretelle d'Eloff Street ?

– Je crois que si.

– Parfait.

Il prit la rampe de sortie, nous laissâmes derrière nous la South African M1 et longeâmes des terrains de football et une patinoire.

– Ils appellent ça « Wembley », dit Danilo. Par là, il y a un lac nommé Wemmer Pan, où on fait du bateau. Et figurez-vous qu'ils ont un orgue aquatique, avec des jets d'eau colorée, pour accompagner la musique.

– Vous y êtes allé ?

– Non... Ça doit être Greville qui me l'a raconté. Il dit aussi que c'est le bon coin pour pêcher des cadavres en décomposition et des torses décapités.

– Charmant !

Il sourit.

Avant d'arriver à Turffontein, il tourna sur une petite route qui se transforma bientôt en une piste de terre battue couverte d'une épaisse poussière.

– Ça fait quatre ou cinq mois qu'il n'a pas plu ici, dit Danilo. Tout a l'air drôlement sec.

C'était vrai, l'herbe était jaunâtre, mais je ne m'attendais pas à autre chose. Ce qui me surprit,

80

c'est d'apprendre de la bouche de mon compagnon que, d'ici un mois, quand viendrait la pluie et que le temps se réchaufferait, tout ce secteur serait luxuriant, plein de couleurs et de verdure.

– C'est dommage, vous ne serez plus là pour voir les jacarandas. Ils se couvriront de fleurs après votre départ.

– Vous les avez déjà vus ?

– Eh bien... non, pas vraiment. Quand j'étais ici, ils n'étaient pas en fleur. Mais c'est Greville qui me l'a dit.

– Je vois.

– Voilà, c'est là. C'est chez Greville, tout ça.

La voiture s'engagea entre deux piliers de brique d'allure sévère et sur une allée de gravier, pour pénétrer dans une écurie qui donnait l'impression d'avoir été transplantée telle quelle, tout droit venue d'Angleterre.

Arknold se trouvait dans la cour, parlant à un Noir qu'il nous présenta comme son premier garçon, Barty. Celui-ci avait l'air aussi rude que son patron : la trentaine environ, massif, le cou épais et court et des yeux froids qui ne souriaient pas. Vaguement étonné, je pensai que c'était le premier Africain noir qui ne me paraissait pas naturellement doté d'un heureux caractère.

Pourtant, son attitude était tout à fait polie et il répondit au bonjour de Danilo comme le font les gens qui se rencontrent assez souvent.

Tout était prêt, dit Arknold, et nous commençâmes sans plus de cérémonies à faire le tour des boxes. Les chevaux se présentaient tous comme ceux que j'avais vus à l'hippodrome : dressés sur la pointe des pieds, un peu moins charpentés que chez nous.

Rien ne permettait de distinguer à l'œil nu les pensionnaires appartenant à Nerissa de leurs compagnons d'écurie. Ils avaient l'air en aussi bonne santé, des membres aussi fermes, des yeux aussi brillants; en outre, ils n'étaient pas logés ensemble, mais répartis parmi les autres, les poulains dans un secteur, les pouliches dans un autre. Tout était en ordre, identique à ce que j'aurais trouvé en Angleterre.

Les lads étaient tous jeunes et tous noirs. Comme tous les lads du monde entier, ils laissaient paraître une fierté possessive à l'égard des chevaux dont ils s'occupaient; à côté de cette fierté, je distinguais cependant une autre caractéristique bien définie, dans leur comportement.

J'avais droit de leur part à des sourires, Arknold à du respect et Barty aux marques sans équivoque de la peur – la peur qu'il leur inspirait.

J'ignorais quelle sorte d'emprise tribale il pouvait exercer sur eux, et je ne l'ai jamais découvert, mais à leurs regards circonspects et à leurs mouvements de recul devant lui, on voyait bien qu'il les tenait dans un asservissement tel qu'il aurait été impensable dans une écurie britannique.

Je me souvenais de mon père et de sa main de fer. Les lads lui obéissaient au doigt et à l'œil, les apprentis se précipitaient et, moi-même, je ne lambinais pas : mais autant que je me le rappelle personne n'avait peur de lui.

J'observais Barty avec un léger frisson. Je n'aurais pas aimé travailler sous ses ordres, sans doute pas davantage que les lads d'Arknold.

– Voici Tables Turned, annonçait celui-ci en s'approchant du box d'un alezan. Un de ceux de Mme Cavesey. Il court samedi à Germiston.

– J'envisageais justement d'y aller.

– Super ! s'exclama Danilo.

Hochant la tête avec plus de modération, Arknold dit qu'il prendrait des dispositions pour qu'on me laisse entrer gratuitement.

À l'intérieur du box, nous marquâmes la pause habituelle, le temps d'étudier Tables Turned de la tête aux pieds pendant qu'Arknold notait son apparente condition physique par rapport à la veille et que je cherchais quelque chose à dire qui ne fût pas trop critique.

– Bonne encolure, déclarai-je. De belles épaules vigoureuses.

Et la tête un peu chafouine, pensai-je à part moi. Arknold haussa lourdement les épaules.

– Je l'ai emmené dans le Natal pour la saison d'hiver, avec tous les autres. J'avais pratiquement toute l'écurie là-bas, comme on fait chaque année. On les met à Summerveld.

– Où est-ce, Summerveld ?

– Demandez plutôt ce que c'est que Summerveld. C'est un énorme complexe où il y a de quoi abriter huit cents chevaux environ, à Shongweni, près de Durban. On y loue un bâtiment d'écurie pour toute la saison. On peut trouver sur place tout ce dont on a besoin : des pistes d'entraînement, des restaurants, l'hébergement pour les garçons, tout. Et l'école des jockeys et apprentis jockeys est là aussi.

– Mais vous n'avez pas fait grand-chose, cette année ? suggérai-je d'un ton de sympathie.

– On a remporté quelques courses avec les autres, mais le lot de Mme Cavesey... Bon, à franchement parler, il y en a trop qui sont à elle, je ne peux pas me permettre de les voir tous perdre. Ça nuit à ma réputation, vous comprenez ?

Certes, je comprenais. Je trouvais par ailleurs qu'il ne s'exprimait pas avec toute la passion qu'on aurait pu attendre.

– Ce Tables Turned, reprit-il en administrant une claque sur la croupe du cheval, avec ses origines et la forme qu'il tenait au début, il semblait avoir une exceptionnelle chance pour le Hollis Memorial Plate, en juin... C'est l'une des grandes courses pour les deux ans... Et voilà qu'il a couru exactement comme Chink, à Newmarket. Plus personne à cinq cents mètres de l'arrivée, il a fini épuisé, et pourtant j'aurais juré qu'il était en aussi bonne forme que n'importe lequel des autres.

Adressant un signe de tête au lad qui tenait le cheval, il tourna les talons pour sortir du box à grandes enjambées. Plus loin dans la rangée, se trouvait un autre pensionnaire appartenant à Nerissa, qui provoqua chez Arknold une manifestation de dégoût encore plus prononcé.

— Alors ce poulain-là, Medic, il avait tout pour faire un crack de valeur mondiale. J'avais d'abord cru qu'il remporterait le Natal Free Handicap en juin, mais pour finir je ne l'ai même pas envoyé à Clairwood. Ses quatre derniers engagements avaient été trop piteux.

Sa colère ne sonnait qu'à moitié juste, j'en avais le sentiment très net. Il semblait réellement affecté de ce que tous les chevaux eussent échoué, et pourtant je gardais la conviction qu'il en connaissait la cause et même qu'il avait tout organisé lui-même.

Escortés de Barty qui pointait sur toutes les lacunes un doigt implacable pour les garçons d'écurie terrorisés, nous examinâmes chaque individu du lot, après quoi nous entrâmes dans la maison prendre un verre.

— Tous les poulains de Mme Cavesey sont maintenant dans la catégorie des trois ans, disait Arknold. Ici, le changement intervient le premier août, pas le premier janvier comme chez vous.

— Bien sûr, dis-je.

— Il ne se court pas grand-chose d'intéressant dans le Rand pendant le mois d'août. Rien qui mérite votre attention, d'après moi.

— Mais je trouve tout cela très intéressant, rétorquai-je avec sincérité. Allez-vous encore faire courir les chevaux de Mme Cavesey, en tant que trois ans ?

— Tant qu'elle voudra payer le prix de pension, répliqua-t-il d'un air sombre.

— Et si elle décide de vendre ?

– Elle en tirerait très peu, actuellement.

– Si elle les mettait en vente, en achèteriez-vous ?

Nous entrions dans son bureau au même moment et il en profita pour ne pas me répondre. C'était une pièce carrée pleine de papiers, de registres, de classeurs et de chaises dures. Apparemment, il ne s'agissait pas d'offrir aux visiteurs un confort qui aurait pu les inciter à s'attarder outre mesure.

Je répétai imprudemment ma question qui me valut les foudres d'Arknold.

– Écoutez, monsieur ! Vous avez l'air de sous-entendre par là quelque chose qui ne me plaît pas du tout. Ça revient à dire que je perds les courses exprès pour pouvoir acheter les chevaux à bon compte, gagner ensuite dès qu'ils seront à moi et, pour finir, les revendre pour la reproduction. C'est ça qui ressort de votre question, monsieur.

– Mais je n'ai rien dit de pareil ! protestai-je mollement.

– Vous l'avez pensé.

– Ma foi, cela n'aurait rien d'impossible. À voir les choses du dehors, objectivement, est-ce que cette hypothèse ne vous serait pas aussi venue à l'esprit ?

Il avait encore l'air furibond, mais son hostilité s'effaçait lentement. J'aurais bien voulu être capable de deviner s'il s'était mis en colère parce que je l'insultais ou parce que je frôlais la vérité de trop près.

Après s'être borné jusque-là à nous suivre en lançant à la cantonade des remarques bienveillantes, Danilo s'efforça de calmer son ami.

– Allons, Greville, il ne voulait pas vous offenser.

Arknold me jeta un regard acerbe.

– Allons, mon vieux ! Tante Nerissa a dû lui dire de voir un peu ce qui se passait, s'il en avait l'occasion. Avec tout le pognon qu'elle dépense pour des tocards, vous ne pouvez pas lui en vouloir, quand même, hein, Greville ?

Arknold s'était suffisamment déridé pour nous offrir un verre. Exprimant son soulagement dans un large sourire, Danilo s'exclama que nous avions mieux à faire que de nous disputer.

Mon verre à la main, je les observais tous les deux. Le blond jeune premier éclatant; l'homme d'âge mûr trapu et renfrogné. Tout en buvant, l'un et l'autre me regardaient aussi par-dessus le bord de leur verre.

Je n'entrevoyais rien de ce qui pouvait couver sous la surface, ni chez l'un ni chez l'autre.

À mon retour à l'Iguana Rock, une lettre m'attendait. Je la lus dans ma chambre, debout devant la fenêtre qui donnait sur les jardins, les courts de tennis et la vaste nature africaine. Le jour avait déjà baissé et ne tarderait pas à tomber, mais je pouvais déchiffrer sans peine l'écriture affirmée de la missive.

« Cher Monsieur,

» J'ai reçu un télégramme de Nerissa Cavesey qui me prie de vous convier à dîner. Nous serions heureux, ma femme et moi, de vous recevoir si vous souhaitez accepter notre invitation.

» Nerissa est la sœur de Portia, qui était l'épouse de mon défunt frère, et les voyages qu'elle a faits dans notre pays nous ont rapprochés. Si je vous donne ces explications, c'est que M. Clifford Wenkins, de la société Worldic Cinema, auprès de qui j'ai eu beaucoup de mal à obtenir votre adresse, a lourdement insisté sur le fait que vous refusiez toute espèce d'invitation personnelle.

» Avec mes meilleurs sentiments,

Quentin Van Huren. »

Sous les formules polies, on percevait l'état d'irritation dans lequel il avait écrit ce billet.

Apparemment, je n'étais pas le seul à qui Nerissa pouvait faire accomplir, par affection pour elle, des démarches ennuyeuses; et Clifford Wenkins n'avait rien arrangé, maladroit comme il était dans l'exercice de ses responsabilités.

Je décrochai le téléphone au chevet du lit pour appeler le numéro imprimé auprès de l'adresse, sur le papier à lettres.

Une femme à l'accent africain me répondit qu'elle allait voir si M. Van Huren était à la maison.

M. Van Huren décida qu'il était là.

– J'appelais pour vous remercier de votre message. Et pour vous dire aussi que j'accepterais avec grand plaisir votre invitation à dîner.

Aucune raison, pensais-je, de ne pas égaler sa politesse.

Il avait la voix aussi ferme que l'écriture, et tout aussi réservée.

– Tant mieux, déclara-t-il sans pourtant que la joie parût l'étouffer. C'est toujours un plaisir de faire plaisir à Nerissa.

– Oui.

Nous marquâmes une pause. La conversation ne brillait pas par un flot de reparties spirituelles. Pour sortir de l'ornière, je repris la parole :

– Je suis ici jusqu'à mercredi en huit.

– Je vois. Oui. Malheureusement, je serai moi-même absent toute la semaine prochaine, et nous sommes déjà pris samedi et dimanche...

– Dans ce cas, ne vous tracassez pas, je vous en prie.

Il se racla la gorge.

– Êtes-vous libre demain soir ? Ou même ce soir ? Ma maison n'est pas très loin de l'Iguana Rock... Mais j'imagine que vos soirées sont très occupées ?

Demain matin, pensai-je, tous les journaux relateraient sur deux colonnes l'affaire de la petite amie de Roderick Hodge. Le soir même, si l'envie lui en prenait, Mme Van Huren pourrait organiser chez elle le genre de petite fête à laquelle j'avais horreur d'assister. D'ailleurs, demain soir, je devais dîner avec Conrad, même s'il s'agissait d'un rendez-vous que j'aurais pu annuler au besoin.

– Si cela ne vous prend pas trop de court, cela me conviendrait très bien ce soir.

– Alors, c'est parfait. Huit heures, cela vous va ? J'enverrai une voiture vous chercher.

En raccrochant, je regrettai un peu d'avoir accepté, dans la mesure où il m'avait manifesté autant de chaleur que du colin froid. Mais les solutions de rechange paraissaient identiques à celles de la veille : dîner au restaurant de l'Iguana Rock, en butte aux regards en biais provenant des autres tables, ou tout seul dans ma chambre en rêvant d'être chez moi avec Charlie.

Je descendis de la voiture de Van Huren devant une grande maison ancienne, où la fortune du propriétaire était visible dès le marbre du seuil. Dans le vaste hall, le plafond en coupole s'élançait si haut qu'il disparaissait de notre vue et une gracieuse colonnade longeait les quatre côtés. On se serait cru sur une ravissante piazzetta italienne, coiffée d'un dôme.

Une porte dans la partie la plus éloignée des arcades livra passage à un couple.

– Je me présente, Quentin Van Huren, et voici mon épouse, Vivi.

– Bonsoir, dis-je poliment en leur serrant la main.

Un ange passa.

– Bon, eh bien… dit Van Huren avec un geste à la limite du haussement d'épaules. Entrez donc.

Je pénétrai à leur suite dans la pièce d'où ils étaient venus m'accueillir. Ici, dans la lumière plus vive, on voyait tout de suite qu'on avait affaire à un homme important, rien qu'à l'impression de savoir-faire, d'expérience et de compétence, bref de véritable autorité qui se dégageait de lui. La solidité et le professionnalisme étant les qualités que j'appréciais le plus moi-même dans le travail, je me sentis aussitôt plus de sympathie pour lui qu'il ne risquait sans doute d'en éprouver pour moi.

Sa femme, Vivi, était toute différente : une allure élégante, mais pas de la même catégorie intellectuelle.

– Asseyez-vous donc, monsieur Lincoln. Nous sommes très heureux que vous ayez pu venir. Nerissa est pour nous une amie très chère...

Elle avait les yeux froids et une grande aisance mondaine. Sa voix était plus sèche que ses paroles.

– Un whisky ? proposa Van Huren, et j'eus droit au grand verre plein d'eau avec un fond de scotch.

– J'avoue que je n'ai vu aucun de vos films, reprit-il sans en témoigner le moindre regret.

– Nous allons très peu au cinéma, ajouta sa femme.

– Vous avez bien raison, dis-je d'un ton neutre, de sorte qu'ils ne savaient pas trop comment prendre mon affirmation.

Dans l'ensemble, je me sentais plus à l'aise face à des gens résolus à me remettre à ma place qu'avec des flatteurs inconditionnels. Envers ceux qui me snobaient, je ne me sentais pas d'obligations.

Ayant pris place sur le canapé tapissé de brocart qu'elle me désignait, je bus une gorgée de mon alcool dilué.

– Nerissa vous a-t-elle dit qu'elle est... malade ? demandai-je.

Tous deux s'asseyaient sans hâte. Van Huren se débarrassa d'un petit coussin qui le gênait, en pivotant dans son fauteuil pour mieux voir ce qu'il faisait, et il me répondit par-dessus son épaule.

– Elle nous a écrit, cela fait quelque temps

déjà. Elle disait qu'elle avait des ennuis glandulaires.

— Elle est en train de mourir, annonçai-je sans détour, obtenant par là leur première réaction spontanée.

Ils m'oubliaient. Ils pensaient à Nerissa. À eux-mêmes. La stupéfaction et le chagrin qu'exprimaient leurs visages étaient sincères.

Van Huren n'avait pas lâché son coussin.

— Vous êtes sûr ?

Je hochai la tête.

— C'est elle qui me l'a dit. Elle n'a pas plus d'un mois ou deux à vivre.

— Oh, non ! s'écria Vivi, laissant percer sa peine à travers le vernis mondain comme un chardon dans les orchidées.

— Je ne peux pas le croire ! s'exclama Van Huren. Elle, toujours si pleine d'élan vital. Si gaie. La vie même !

Je pensai à Nerissa telle que je venais de la quitter : fini l'élan vital, la vie s'éteignait.

— Elle se tracasse pour ses chevaux de course, repris-je. Ceux que lui a légués Portia.

Ni l'un ni l'autre n'avait l'esprit disponible pour un problème de chevaux de course. Secouant la tête, Van Huren finit de disposer le coussin là où cela lui convenait et son regard se fixa sur un point hors d'atteinte. De belle prestance, la cinquantaine bien tassée, il avait des cheveux qui grisonnaient élégamment sur les tempes. Vu de profil, son nez était fortement busqué. La bouche charnue, ferme, bien dessinée. Des mains aux ongles carrés et soignés. Un costume gris foncé pour lequel le tailleur s'était surpassé.

La porte du hall s'ouvrit pour livrer passage à un garçon et à une fille qui se ressemblaient de façon saisissante. Lui, vingt ans environ, avait cette expression légèrement maussade du fils de famille dont l'instinct de rébellion n'a pas été jusqu'à lui faire quitter sa demeure princière. Sa sœur, qui devait avoir quinze ans, affichait de son côté la spontanéité parfaite de quelqu'un que l'idée de révolte n'a pas encore effleuré.

– Oh, pardon ! s'exclama-t-elle. On ne savait pas qu'il y avait un invité.

Elle avança, vêtue d'un blue-jean et d'un T-shirt jaune pâle, en compagnie de son frère à peu près dans la même tenue. Van Huren me les présenta :

– Mon fils Jonathan et ma fille Sally.

Je me levai pour serrer la main de la jeune fille, ce qui parut l'amuser.

– Ça, alors... Est-ce qu'on vous a déjà dit que vous ressemblez à Edward Lincoln ?

– Oui. C'est moi.

– Comment ?

– Edward Lincoln, c'est moi.

– Sans blague ! (Elle m'examina de plus près.) Ah, ça... mais le plus fort, c'est que c'est vrai... C'est vraiment vrai ? ajouta-t-elle cependant, craignant que je ne me moque d'elle.

– M. Lincoln est un ami de Mme Cavesey, lui expliqua son père.

– Tante Nerissa ! Ah, oui, elle nous avait raconté un jour qu'elle vous connaissait bien... Elle est adorable, n'est-ce pas ?

– Oui, dis-je en me rasseyant.

Jonathan me dévisageait sans broncher, d'un œil froid.

– Je ne vais jamais voir le genre de films dans lesquels vous jouez.

Je me contentai de sourire sans répondre : c'était la remarque type à laquelle j'avais droit au moins une fois par semaine, avec quelques nuances dans l'agressivité. L'expérience m'avait enseigné depuis longtemps que la seule réplique dénuée de provocation était le silence.

– Eh bien moi, si ! protesta Sally. J'en ai même vu pas mal. C'était vraiment vous qui montiez le cheval dans *La Chevauchée de l'espion*, comme le proclamaient les affiches ?

– Oui, oui.

Elle me contempla d'un air méditatif.

– Ça n'aurait pas été plus facile en cabriolet ?

Je ris involontairement.

– Même pas. Je sais qu'il était question, selon le scénario, du tempérament ombrageux de ma monture, mais celle qu'on m'a donnée ne posait pas de problème.

– Sally est une petite cavalière émérite, commenta sa mère sans nécessité. Elle a gagné le prix de la catégorie grands poneys au Rand Easter Show.

– À Rojedda Reef, ajouta Sally.

Ce nom ne me disait rien. Mais les autres croyaient visiblement le contraire. Ils me regardaient, semblant attendre une réaction de ma part et c'est Jonathan, pour finir, qui éclaira ma lanterne d'un ton de supériorité :

– C'est le nom de notre mine d'or.

– Ah, oui ? Je ne savais pas que vous aviez une mine d'or.

De propos semi-délibéré, j'avais mis dans cette phrase la même intonation que le père et le fils quand ils m'avaient informé qu'ils n'allaient pas voir mes films, et cela n'échappa pas à Quentin Van Huren. Sa tête se tourna vers moi avec vivacité, et je sentis le sourire intérieur transparaître dans mon regard.

– Oui, je vois, dit-il, rêveur. Cela vous intéresserait-il de descendre au fond ? Pour vous faire une idée de la manière dont on procède ?

À la surprise qu'exprimaient les visages du reste de la famille, je compris que son offre correspondait plus ou moins à ma propre suggestion de donner une conférence de presse.

– J'aimerais énormément, affirmai-je. Et comment !

– Je prends l'avion lundi matin pour Welkom. C'est la ville où se trouve Rojedda. Je dois y passer toute la semaine mais si cela vous convient de venir lundi avec moi, vous pourrez être de retour ici le soir même.

Je dis que cela me convenait très bien.

Le temps que le dîner touche à sa fin, Lincoln avait fait de tels progrès que trois membres de la famille Van Huren prenaient la décision d'aller samedi à Germiston voir courir les chevaux de Nerissa. Quant à Jonathan, il avait, selon lui, des choses plus importantes à faire.

– Quoi, par exemple ? demanda Sally.

Mais il ne savait pas au juste.

7

Le hasard, voulant que les nouvelles du monde ne fussent pas palpitantes ce vendredi-là, fit la part trop belle à l'histoire de Katya. La presse n'est pas souvent conviée d'avance à ce genre de spectacle : le compte rendu était à la une de la plupart des journaux.

L'un des articles commençait par suggérer méchamment qu'il s'agissait, en fait, d'une simple mise en scène publicitaire qui avait mal tourné, avant de démentir cette interprétation d'un ton fort peu convaincant, au paragraphe suivant.

Combien de gens partageraient cet avis ? Au souvenir du sourire malin de Katya, je me demandai soudain s'il était concevable qu'elle eût tout agencé elle-même. Elle, et Roderick.

Mais elle n'aurait pas risqué sa propre vie. À moins qu'elle n'eût pas eu conscience de la gravité du danger.

Je pris le *Rand Daily Star* pour voir quel sort ils avaient fait aux informations de Roderick, et je découvris qu'il avait lui-même rédigé le papier : « Par l'envoyé du *Rand Daily Star,* Roderick Hodge », proclamait le chapeau. Si l'on songeait combien il avait été ému sur le coup, son récit n'était pas trop dramatisé, mais plus qu'aucun autre c'était lui qui mettait l'accent, comme l'avait fait Conrad, sur le fait que, si Katya ne m'avait pas pris le micro des mains, c'est moi qui aurais été électrocuté.

Je me demandai dans quelle mesure Roderick ne le regrettait pas. D'abord, la nouvelle aurait été plus sensationnelle.

Avec un sourire en biais, je lus jusqu'à la fin. Katya, écrivait-il pour terminer, restait jusqu'au lendemain en observation à l'hôpital, où l'on jugeait son état « satisfaisant ».

Je repoussai les journaux et, après avoir pris une douche et m'être rasé, je parvins à deux conclusions. D'une part, le sauvetage de Katya n'était pas un acte particulièrement remarquable, et ne justifiait en rien la place qu'on lui accordait, d'autre part, après cette affaire, j'aurais encore plus de mal à expliquer à Nerissa pourquoi je n'étais capable de lui rapporter que des hypothèses sans aucune preuve.

À la réception de l'hôtel, je demandai si l'on pouvait me préparer un déjeuner à emporter et me louer un cheval pour la journée, dans un endroit propice à l'équitation. Il leur suffit de quelques coups de baguette magique : la matinée n'était pas encore écoulée que je me trouvais à quarante kilomètres au nord de Johannesburg, sous un soleil éclatant, m'engageant dans une piste de terre battue sur le dos d'un cheval de course réformé qui avait connu des jours meilleurs. Remplissant avec bonheur mes poumons de la douce odeur de l'Afrique, j'avançais avec un sentiment de liberté. Les loueurs du cheval avaient tenu à me faire accompagner de leur premier garçon afin que je ne me perde pas, mais comme il savait très peu d'anglais et moi pas un mot de bantou, ce n'était pas un compagnon encombrant. Petit, bon cavalier, George était le roi du sourire.

Nous arrivâmes à un carrefour où se dressait, en pleine solitude et gardé par un homme épanoui, un grand étalage de fruits d'un orange éclatant, bordé d'ananas disposés en feston.

– *Naartjies,* dit George, le doigt tendu.

J'exprimai par signes mon incompréhension. Un des avantages du métier d'acteur, c'est qu'il peut servir dans la vie quotidienne.

– *Naartjies,* répétait George en descendant de son cheval qu'il guidait vers l'étal.

Comprenant cette fois qu'il voulait en acheter, je l'appelai pour lui donner un billet de cinq rands. Il sourit, marchanda et revint avec un grand filet plein de *naartjies,* deux ananas bien mûrs et la plus grosse partie de l'argent.

Promeneurs de bonne compagnie, nous poussâmes un peu plus loin, mîmes pied à terre dans un coin ombragé, mangeâmes chacun un ananas, du poulet froid de l'Iguana Rock et bûmes du jus de pomme en boîte, peu sucré et désaltérant, que George avait emporté. Ces *naartjies* ressemblaient à de grosses mandarines bosselées, à la peau tachetée de vert : elles en avaient aussi un peu le goût, en meilleur.

George consomma son repas à dix mètres de moi. Je lui avais fait signe de se rapprocher, mais en vain.

Nous passâmes l'après-midi à couvrir de longues distances au trot et au galop, à travers une savane d'herbes sèches, jaunâtres et rabougries, et c'est à pied, pour rafraîchir nos montures, que nous regagnâmes les écuries.

On me fit payer dix rands pour la location du cheval, alors que le plaisir que j'avais pris en valait bien mille, et j'en laissai cinq à George, pour lui, même si ses employeurs me chuchotaient que c'était trop. Le visage fendu d'un dernier sourire éblouissant, il me tendit le sac de *naartjies* et tout le monde agita la main en me regardant partir. Si seulement la vie pouvait ainsi toujours aller de soi, sans effort et sans histoires !...

Il me fallut une dizaine de kilomètres avant de m'aviser que, si c'était le cas, je m'ennuierais à mourir.

Conrad m'avait précédé à l'Iguana.

Venu à ma rencontre dans le hall de l'hôtel, il m'examina des pieds à la tête, poussière, *naartjies* et tout.

— Où diable as-tu passé ta journée, mon petit ?

— À cheval.

— Dommage que je n'aie pas une Arriflex sous la main ! Quel plan ! toi, planté là à contre-jour avec une allure de gitan, tes oranges à la main... il faudra qu'on place ça quelque part dans le prochain film qu'on tournera ensemble, il ne faut pas laisser perdre une telle image...

— Tu es en avance, dis-je.

— Autant attendre ici qu'ailleurs.

— Alors, monte avec moi, le temps que je me change.

M'ayant accompagné dans ma chambre, il choisit avec son instinct infaillible le meilleur fauteuil.

— Prends une *naartjie,* proposai-je.

— J'aimerais mieux un Martini, mon petit.

— Eh bien, commande-le.

On lui monta un apéritif pendant que j'étais sous la douche. Quand je rentrai dans la chambre, en slip, je le trouvai muni d'un cigare de calibre Churchill, enveloppé de fumée et d'un parfum de ploutocratie. Il examinait la pile de journaux posée sur la table, mais finalement il n'en ouvrit pas un seul.

— J'ai lu tout ça, dit-il. Quel effet ça te fait d'être un héros dans la réalité, pour changer ?

— Ne dis pas de bêtises. Le secourisme, ça n'a rien d'héroïque.

Il sourit et changea de sujet.

— Qu'est-ce qui a bien pu te pousser à venir ici pour la sortie d'un de tes films alors que tu as toujours refusé de te montrer ailleurs que sur l'écran ?

— Je suis venu voir des chevaux...

Je lui racontai la mission confiée par Nerissa.

— Ah, bon, si c'est ça, mon petit, ça tient debout, je te l'accorde. Et as-tu trouvé ce qui cloche ?

— Pas vraiment, répondis-je en prenant une chemise propre dans un tiroir. Je ne vois pas comment je pourrais y parvenir. Je vais demain aux courses à Germiston et j'aurai l'œil, mais ça m'étonnerait qu'on puisse prouver quoi que ce soit sur le compte de Greville Arknold.

J'enfilai des chaussettes, un pantalon bleu foncé et mis mes chaussures.

— Au fait, qu'est-ce que vous faites ici, Evan et toi ?

— Un film, bien sûr.

— Quel film ?

— Une foutue histoire d'éléphants qu'Evan s'est mis en tête de réaliser. Tout était prêt à démarrer avant qu'il soit chargé de terminer *L'Homme dans la voiture* et, comme il a fait durer le plaisir en Espagne, on est venus ici plus tard que prévu. On devrait déjà être partis dans la réserve d'animaux du parc Kruger.

— Qui est la vedette ? demandai-je en me peignant.

— Drix Goddart.

Je jetai un coup d'œil à Conrad par-dessus mon épaule. Il eut un sourire sardonique.

— De la glaise dans les mains d'Evan, mon petit. Il gobe les indications comme un caméléon gobe les mouches.

— C'est bien pour tout le monde.

— Complètement névrosé. Si on ne lui répète pas toutes les cinq minutes qu'il est génial, il croit qu'on le déteste.

— Est-ce qu'il est ici avec vous ?

— Non, grâce au ciel ! C'était prévu, mais finalement il débarquera avec tout le reste de l'équipe une fois que nous aurons choisi, Evan et moi, les lieux de tournage en extérieur.

Je posai mon peigne et bouclai ma montre sur mon poignet. Les clés, de la monnaie, un mouchoir dans les poches de mon pantalon.

— Tu as vu les rushes des séquences dans le désert quand tu étais en Angleterre ? me demanda Conrad.

— Non. Evan ne m'avait pas invité.

— Ça, c'est bien de lui.

Il but une gorgée de Martini qu'il garda un moment dans sa bouche avant de l'avaler.

— Ils étaient bons, reprit-il en louchant sur la cendre de sa torpille.

— Je pense bien. On a assez multiplié les prises pour ça.

Il sourit sans me regarder.

— Le film ne va pas te plaire, une fois terminé !

— Pourquoi donc ? demandai-je après une pause.

— Il y a quelque chose là-dedans qui dépasse le jeu. (Il s'interrompit à nouveau pour peser ses mots.) Même pour un spectateur aussi coriace que moi, mon petit, la qualité de souffrance est renversante.

Je me taisais. Il braqua son regard sur moi.

— D'habitude, tu ne révèles pas grand-chose de toi-même, hein ? Tandis que cette fois, mon petit, cette fois...

Je pinçai les lèvres. Je savais bien ce que j'avais fait. Je l'avais fait consciemment. Mais j'avais espéré que personne ne pourrait le percevoir.

— Est-ce que les critiques vont voir ce que tu as vu ?

— Forcément, non ? répliqua-t-il avec un sourire oblique. Les bons, en tout cas.

Consterné, je contemplais le tapis. L'ennui, pour l'acteur qui interprète trop bien une scène, en transmettant avec force une émotion au public, c'est que cela signifie qu'il se montre à nu. Rien de commun avec la simple nudité du corps. Il permet au monde entier de plonger son regard dans sa tête, dans son monde intérieur, dans tout ce qu'il a vécu personnellement.

Pour être capable de reproduire un sentiment de telle façon que les autres soient en mesure de l'identifier, ou de le comprendre pour la première fois, il faut avoir au moins une idée de ce que ce serait de l'éprouver dans la réalité. Si l'on montre qu'on le sait, on révèle ce qu'on a vécu soi-même. S'exhiber trop crûment n'est guère facile pour un homme réservé, mais d'un autre côté, si l'on refuse de se dévoiler, on ne devient jamais un grand acteur.

Je n'étais pas un grand acteur. J'étais un comédien compétent et j'avais du succès, mais, si je ne franchissais pas de bon gré le seuil de l'effrayante mise à nu intime, je ne ferais jamais rien de grand. Poussé au-delà d'une certaine limite, le jeu comportait toujours pour moi un élément de détresse mentale. Quand j'avais pris ce risque dans la voiture, j'avais cru que l'expression de ma propre personnalité se confondrait avec les épreuves que subissait le personnage fictif.

Si je l'avais fait, c'était à cause d'Evan : pour le contrarier plutôt que pour lui faire plaisir. À partir d'un certain point, aucun metteur en scène ne peut plus s'attribuer le mérite du jeu d'un acteur, et j'étais allé bien au-delà de ce point.

— À quoi penses-tu ? me demanda Conrad.

— Je prenais en moi-même la décision de m'en tenir exclusivement, à l'avenir, à des rôles divertissants et coupés de toute réalité, comme par le passé.

— Tu es un lâche, mon petit.

— Oui.

Il fit tomber la cendre de son cigare.

— Si tu agis ainsi, tu ne contenteras personne.

— Bien sûr que si.

Il secoua la tête.

— Je ne vois pas qui va acheter du toc quand il saura qu'il peut avoir du vrai pour le même prix.

– Arrête de lamper ton Martini. Ça te fait voir les choses tout de travers.

Je passai ma veste, et glissai dans une poche mon portefeuille et mon agenda.

– Descendons au bar.

Obéissant, Conrad s'extirpa de son fauteuil.

– Tu ne pourras pas indéfiniment te fuir toi-même.

– Je ne suis pas celui que tu crois.

– Mais si, mon petit. Justement.

À l'entrée de l'hippodrome de Germiston, le lendemain matin, en plus des billets gratuits promis par Greville Arknold, je trouvai un membre du service d'organisation qui avait pour mission de m'inviter à déjeuner avec le président de la Société de courses.

Docilement, je le suivis jusque dans une grande salle à manger où, autour de longues tables, avaient déjà pris place une centaine de personnes. Près de la porte siégeait la famille Van Huren au grand complet, y compris un Jonathan boudeur. Son père se leva en me voyant entrer.

– Monsieur Klugvoigt, je vous présente Edward Lincoln, dit-il à l'homme en bout de table. M. Klugvoigt est le président, m'expliqua-t-il.

Se levant à son tour, M. Klugvoigt me serra la main et m'indiqua la chaise vide à sa gauche.

Coiffée d'une capeline verte, Vivi Van Huren se trouvait en face de moi, à la droite du président, à côté de son mari. Sally était à ma gauche, avec son frère de l'autre côté. Ils paraissaient bien connaître Klugvoigt, qui semblait d'ailleurs avoir beaucoup en commun avec Van Huren : même air de prospérité et d'autorité, même confiance en soi, même carrure et même vivacité d'esprit.

Une fois épuisés les préliminaires et formules de politesse (Le pays me plaisait-il ? Nulle part on ne pouvait être mieux reçu qu'à l'Iguana Rock. Quelle était la durée prévue de mon séjour ?), l'échange de propos se porta tout naturellement sur le principal sujet qui se présentait à nous.

Les chevaux.

Les Van Huren étaient propriétaires d'un quatre ans arrivé troisième dans la Dunlop Gold Cup le mois passé : ils profitaient de cette période moins importante pour le laisser souffler. Klugvoigt avait deux trois ans engagés cet après-midi, mais il n'en attendait pas grand-chose.

Je n'eus pas trop de mal à amener la conversation sur les chevaux de Nerissa, et à passer de là à Greville Arknold : l'air de rien, je demandai quelle opinion on avait de lui en général, aussi bien comme homme que comme entraîneur.

Ni Van Huren, ni Klugvoigt n'étaient du genre à dévoiler si vite le fond de leur pensée. Ce fut Jonathan qui se pencha en avant pour m'apprendre la vérité.

— C'est un grossier personnage, un salaud qui a la patte aussi lourde qu'un lingot d'or.

— Il faudra que j'en avise Nerissa dès mon retour.

— Tante Portia disait toujours qu'il savait s'y prendre avec les chevaux, objecta Sally.

— Oui. Prendre son compte.

L'humour n'était pas absent du regard pétillant que lui lança son père, qui, toutefois, s'empressa de changer de sujet de conversation, en homme conscient des périls de la diffamation.

— Votre Clifford Wenkins, Link, m'a téléphoné hier après-midi pour nous offrir à tous des places le soir de votre première.

Cela avait l'air de l'amuser. Je notai avec plaisir qu'il se sentait maintenant suffisamment à l'aise avec moi pour laisser tomber le cérémonieux « monsieur » et je pensai que, de mon côté, je pourrais d'ici une heure ou deux me risquer à l'appeler Quentin.

— Apparemment, il regrettait de m'avoir répondu

sèchement, lorsque je cherchais votre adresse.

— Il s'est sans doute mis à piocher à retardement son cours de relations publiques, dit Klugvoigt, qui semblait très au courant.

— Mais il s'agit d'un simple... film d'aventures, dis-je. Cela ne vous amusera peut-être pas du tout.

J'eus droit à un sourire ironique.

— En tout cas, vous ne pourrez plus me reprocher de condamner ce que je ne connais pas.

Je lui rendis son sourire. Le beau-frère de la sœur de Nerissa me plaisait beaucoup.

Ayant achevé cet excellent déjeuner, nous sortîmes pour la première course. Les jockeys rejoignaient déjà leur monture, Vivi et Sally coururent brouiller les cotes en misant quelques rands.

— Votre ami Wenkins m'avait annoncé qu'il serait là aujourd'hui, dit Van Huren.

— Malheur !

Il étouffa un rire.

Dans le rond de présentation, Arknold mettait en selle son jockey à la casaque magenta.

— Quel est le poids d'une barre d'or ? demandai-je.

Van Huren suivit mon regard.

— Dans les trente-deux kilos, en général. Mais cela ne se soulève pas aussi aisément que trente-deux kilos de jockey.

Debout à côté des barrières, Danilo observait les opérations.

Quand les chevaux montés se furent éloignés, il tourna la tête, découvrit notre présence et vint à nous.

— Salut, Link. Je vous cherchais. Une bière, ça vous tente ?

— Quentin, dis-je, je vous présente Danilo Cavesey, le neveu de Nerissa. Danilo, voici Quentin Van Huren, dont la belle-sœur, Portia Van Huren, était la sœur de Nerissa.

— Sans blague ! s'exclama Danilo, en ouvrant de grands yeux qui ne cillaient pas.

Sa surprise paraissait plus vive qu'il n'aurait été naturel.

— Mon Dieu, dit Van Huren, je ne me doutais même pas qu'elle avait un neveu !

— Je suis sorti de sa vie quand j'avais six ans, expliqua Danilo. Je ne l'ai revue que cet été, lorsque j'ai quitté les États-Unis pour un voyage en Angleterre.

Van Huren n'avait rencontré que deux fois le mari de Nerissa, et jamais son frère, le père de Danilo. De son côté, Danilo n'avait, dit-il, jamais rencontré Portia. S'appliquant ainsi à tirer au clair les ramifications familiales, tous deux donnèrent l'impression de s'entendre en un temps record.

— Eh bien, ça, alors ! commentait Danilo, visiblement ravi. C'est super, non ?

Vivi, Sally et Jonathan nous ayant rejoints après la course, ils s'excitèrent de concert sur cette révélation avec de grands gestes de bras et des voix qui poussaient des pointes dans les aigus.

— C'est une espèce de cousin, déclara Sally d'un ton sans réplique. Ce que ça peut être amusant, hein ?

Même Jonathan semblait rasséréné à la perspective d'accueillir dans la famille ce beau gosse solaire, et il ne tarda pas à s'éloigner en sa compagnie. Je surpris un regard que Danilo me lançait par-dessus son épaule, beaucoup plus mûr que ceux de Jonathan et Sally réunis.

— Quel charmant garçon ! dit Vivi.

— Nerissa l'aime beaucoup.

— Il faut que nous l'invitions chez nous, pendant qu'il est là, n'est-ce pas, Quentin ? Tiens, regarde, tu as vu qui est là-bas ?... Janet Frankenloots... il y a des siècles que je ne l'ai vue... Vous m'excuserez, Link...

Le grand chapeau vert s'envola à la rencontre de l'amie retrouvée.

Hélas, Van Huren n'avait pas menti quant à la présence de Clifford Wenkins. Certes, sa tactique d'approche ne ressemblait en rien à l'assaut direct de Danilo : après avoir décrit en crabe un demi-cercle honteux, il se prit les pieds dans ses propres chevilles avant de terminer son périple à mon côté.

– Euh... ça fait plaisir de vous rencontrer, Link... euh... vous ne seriez pas M. Van Huren ? Enchanté... euh... de faire votre connaissance... euh, monsieur...

Il serra la main de Quentin à qui sa longue pratique des usages mondains permit de refouler l'envie de s'essuyer sur son pantalon.

– Dites donc, euh... Link... Ça fait plusieurs fois que j'essaie de vous joindre, mais vous n'êtes jamais... euh... enfin, je n'ai pas appelé au moment où vous étiez... euh... où vous étiez là. Alors, j'ai pensé que... c'est-à-dire, enfin... que je vous trouverais sûrement ici.

Je rongeais mon frein. Il tira précipitamment d'une poche intérieure une liasse de papiers.

– Voilà, nous voudrions... c'est-à-dire qu'à la Worldic, ils ont arrangé... euh... puisque vous avez donné la conférence de presse, enfin... ils voudraient que vous alliez... attendez... voilà, il y a un concours de beauté à arbitrer mercredi prochain, l'élection de Miss Jo'burg... et, euh... l'invité d'honneur au Ladies'Kinema Luncheon Club jeudi... et vendredi, il y a un gala de bienfaisance organisé par... euh, nos commanditaires pour la première... euh, c'est-à-dire, bien sûr, les aliments pour animaux Miaou-Wa... et, euh... enfin, samedi, c'est... l'inauguration officielle de... euh... l'exposition de la Maison moderne... tout ça, c'est de la bonne publicité... euh...

– Non, répondis-je, tout en me répétant intérieurement : surtout, n'explose pas ici.

– Euh, reprit Wenkins sans percevoir les signaux de danger. Nous... euh... c'est-à-dire, la

Worldic... nous estimons... enfin... que vous devriez vraiment vous montrer coopératif.

— Ah, tiens ! (Je ralentis délibérément ma respiration.) Pourquoi, à votre avis, est-ce que je refuse de laisser la Worldic prendre en charge mes frais de séjour ? Pourquoi est-ce que je paie tout de ma poche, selon vous ?

Il était sur des charbons ardents. La Worldic avait dû faire monter la pression de son côté, et voilà que je lui résistais du mien. Les gouttes de sueur perlaient sur son front. Il déglutit et s'obstina :

— Oui, mais... Voilà... je présume... enfin... tous ces divers organismes seraient éventuellement disposés à vous offrir... euh... c'est-à-dire, une rétribution...

Je comptai jusqu'à cinq, fermai les yeux, puis les rouvris. Et quand je sentis que je parviendrais à m'exprimer sur un ton modéré, je répondis :

— Vous pouvez dire à la Worldic, monsieur Wenkins, que je ne souhaite accepter aucune de ces invitations. Bref, j'assisterai exclusivement à la première de mon film, précédée ou suivie d'une simple réception, ainsi que nous en étions convenus.

— Mais... nous avons promis votre présence à tout le monde.

— Vous savez parfaitement que mon agent vous a explicitement prié, dès le départ, de ne prendre aucun engagement pour moi.

— Oui, mais ils ont dit, à la Worldic... enfin...

La Worldic pouvait aller se faire voir.

— Je ne prendrai part à aucune de ces manifestations.

— Mais... vous ne pouvez pas... enfin... les décevoir tous... surtout maintenant... ils n'iront pas voir vos films, si vous n'êtes pas là quand... euh... nous avons... euh... promis que vous alliez venir...

— Il va falloir que vous leur expliquiez que vous

vous êtes engagés en mon nom sans me consulter auparavant.

— Ça ne va pas leur plaire, à la Worldic.

— Cela ne va pas leur plaire parce que cela nuira à leurs profits. Mais tant pis pour eux. S'ils ont cru qu'ils m'obligeraient, au moyen d'une série de chantages, à aller faire des ronds de jambes, ils se sont lourdement trompés.

Clifford Wenkins me regardait avec anxiété et Van Huren, avec une sorte de curiosité. Malgré toutes mes résolutions, je savais que ma colère transparaissait.

J'eus pitié de ce malheureux et je me ressaisis.

— Dites-leur que je serai absent de Johannesburg toute la semaine prochaine. S'ils avaient eu le bon sens de commencer par s'informer auprès de moi, j'aurais pu leur faire savoir que j'avais pris des engagements ailleurs, jusqu'au soir de la première.

Déglutissant à nouveau, il parut encore plus effondré.

— Ils ont dit qu'il fallait que je vous persuade...

— Je regrette.

— Ils risquent même de me renvoyer...

— Même pour vos beaux yeux, monsieur Wenkins, je ne peux pas. Je ne serai pas ici.

Il me jeta un regard d'épagneul battu que je ne trouvai pas attendrissant et quand j'ajoutai : « Cela suffit », il tourna le dos d'un air de dégoût profond et il partit en fourrant les papiers en vrac dans la poche de sa veste.

— Pourquoi le lui avez-vous refusé ? demanda Van Huren en tournant sa belle tête vers moi pour me jauger.

Je ne percevais pas de blâme dans sa voix, rien d'autre que de l'intérêt. Respirant profondément, je chassai mon sourire crispé et l'irritation que Clifford Wenkins avait provoquée chez moi.

— Je ne marche jamais pour ces choses-là, concours de beauté, banquets, inaugurations...

– D'accord. Mais pourquoi ?

– Je manque d'endurance.

– Vous êtes assez costaud, pourtant.

Je secouai la tête en souriant. Il aurait paru prétentieux de lui expliquer que ces prestations « en personne » me donnaient l'impression de me faire envahir, broyer, dévorer et que les laïus de présentation où l'on me tressait des couronnes ne m'apportaient aucune compensation. Le seul compliment que j'appréciais vraiment, c'était l'argent des recettes comptabilisées au box-office.

– Alors, où comptez-vous passer la semaine prochaine ?

– L'Afrique est vaste, répondis-je, ce qui le fit rire.

Nous retournâmes vers le rond de présentation pour regarder l'assortiment suivant d'aspirants à la victoire, parmi lesquels le numéro huit était Lebona, une des pouliches de Nerissa.

– Elle me semble très bien, commenta Van Huren.

– Oui, elle va prendre un bon départ. Elle filera droit pendant les trois quarts de la course. Et puis en quelques foulées, elle va se fatiguer d'un seul coup, se trouver complètement reléguée. Quand elle rentrera, elle aura le flanc haletant et l'air épuisé.

Il paraissait surpris.

– À vous entendre, on croirait que vous savez tout à l'avance dans le moindre détail.

– C'est une hypothèse. J'ai vu Chink courir comme cela mercredi, à Newmarket.

– Mais vous croyez qu'ils se comportent tous de la même façon ?

– C'est ce que confirment les rapports.

– Qu'allez-vous dire à Nerissa, dans ce cas ?

J'eus un geste d'impuissance.

– Je n'en sais rien... De changer d'entraîneur, sans doute.

Le moment venu, nous regagnâmes les tribunes.

Lebona courut comme prévu. Van Huren ne semblait guère pressé de se débarrasser de moi au profit d'une compagnie plus divertissante, et j'étais trop content du rôle de bouclier qu'il jouait pour moi. En passant devant les tables et les chaises groupées sous les parasols, nous décidâmes donc de nous asseoir là pour boire quelque chose.

Pour la première fois depuis mon arrivée, le soleil était chaud. Aucun souffle n'agitait les franges des parasols à fleurs, et l'on voyait de tout côté des dames qui ôtaient leur manteau.

Van Huren soupira pourtant quand je me réjouis du beau temps.

– Moi, je préfère l'hiver, lorsqu'il fait un beau froid sec. Nos étés sont trop humides et beaucoup trop chauds, même ici sur les hauteurs du veld.

– Dans l'idée qu'on a de l'Afrique du Sud, il y fait toujours chaud.

– C'est vrai, bien sûr. Dès que vous vous rapprochez du niveau de la mer, il risque de faire une chaleur d'étuve.

Les ombres de deux hommes se projetèrent sur la table, et nous levâmes les yeux.

Deux hommes connus de moi : Conrad, et Evan Pentelow.

Je fis les présentations, ils tirèrent des sièges pour se joindre à nous, Conrad armé de son assurance habituelle, distribuant les « mon petit » sans parcimonie, et Evan aussi échevelé que de coutume, le regard aussi ardent.

Evan passa tout de suite à l'attaque :

– Vous ne pourrez plus refuser d'être présent à la première de mon *Homme dans la voiture*, j'espère.

– Je vous trouve bien possessif, répondis-je doucement. Le film ne vous appartient pas exclusivement.

– Mon nom viendra en premier au générique, riposta-t-il, agressif.

– Avant le mien ?

Sur les affiches de ses films, on trouvait le plus souvent Evan Pentelow en grosses lettres en haut, puis le titre, puis, dans le tiers inférieur, les noms des acteurs, imprimés serré, tous ensemble. Des mœurs de forban, à peu de chose près.

Les yeux d'Evan jetaient des flammes. Je compris qu'il avait bien vérifié mon contrat et constaté, comme moi-même, que mon agent n'avait rien laissé au hasard en la matière.

— Avant celui de l'autre metteur en scène, concéda-t-il à regret.

C'était justice, sans doute. Il n'avait réalisé qu'un quart du film, mais la construction définitive lui appartenait.

Van Huren suivait l'échange de piques d'un air amusé et attentif.

— C'est donc vrai que la place et la grosseur des noms sur une affiche comptent autant qu'on le dit ?

— Tout dépend de qui tire dans le dos de qui, répondis-je en souriant.

Evan n'avait pas le sens de l'humour et ma remarque ne le fit pas rire. Il préféra parler du film qu'il allait tourner.

— C'est une allégorie... chaque séquence entre des êtres humains aura son pendant qui mettra en scène des éléphants. Au départ, ceux-ci étaient censés incarner les « bons » dans l'histoire, mais j'en ai appris de belles sur leur compte ! Saviez-vous que leurs seuls prédateurs étant les chasseurs d'ivoire, et la chasse à l'ivoire étant interdite dans le parc Kruger, les éléphants sont en pleine explosion démographique ? Leur nombre s'accroît d'un millier par an, ce qui signifie que d'ici dix ans, il ne restera plus de place pour aucune autre bête, et sans doute plus d'arbres non plus dans le parc, car les éléphants les déracinent par centaines.

Comme toujours, dès qu'un sujet captivait son intérêt, Evan se montrait dogmatique et passionné.

— Et saviez-vous aussi, poursuivait-il, que les éléphants n'aiment pas les Volkswagen ? La coccinelle, je veux dire. En général, ils n'attaquent guère les automobiles, mais il semble qu'ils se ruent sur les Volkswagen.

Le sourire sceptique de Van Huren ne manqua pas d'exciter davantage la violence d'Evan.

— Mais c'est vrai ! Il se peut même que j'inclue ce détail dans le film.

— Ça pourrait être pas mal, remarqua Conrad d'un ton sec. La bagnole offerte en appât, au moins, ça changerait des chèvres et des tigres.

Evan lui jeta un coup d'œil acéré, mais il hocha la tête.

— Nous partons mercredi pour le parc Kruger.

Van Huren se tourna vers moi d'un air de regret.

— Quel dommage, Link, que vous ne puissiez pas y aller aussi la semaine prochaine. Cela vous aurait plu. Les réserves d'animaux représentent à peu près tout ce qu'il reste de la vieille Afrique naturelle, et le parc Kruger est vaste et assez sauvage encore. Mais je sais qu'il faut toujours s'y prendre des mois à l'avance pour l'hébergement.

Je pensais qu'Evan n'aurait pas la moindre envie que je les accompagne mais, à ma grande surprise, je l'entendis qui répondait lentement :

— Il se trouve que nous avions prévu une place pour Drix Goddart, qui finalement ne viendra que d'ici une semaine ou deux. Nous n'avons pas annulé les réservations... sa chambre se trouvera libre, si cela vous tente de venir.

Stupéfait, je regardai Conrad, mais sans trouver d'éclaircissement dans ses sourcils levés et son expression sardonique.

Malgré mes rapports tendus avec Evan, une telle offre avait tout pour m'emballer, et même la compagnie du metteur en scène me parut préférable au programme de Clifford Wenkins. Si je n'allais pas visiter le parc Kruger, qui d'ailleurs m'attirait beaucoup, où irais-je ?

— Avec plaisir, dis-je. Merci beaucoup.

8

Flanqué de ses deux Van Huren satellisés, Danilo fit son apparition en caressant de la main le bord du parasol.

Sans attendre de savoir qui étaient Conrad et Evan, s'étant simplement assurée qu'elle n'interrompait pas quelqu'un au milieu d'une phrase, Sally s'adressa directement à son père.

– Nous avons dit à Danilo que tu emmenais Link lundi au fond de la mine d'or, et il veut savoir s'il peut y aller aussi.

Danilo manifesta un certain embarras d'entendre sa requête transmise avec si peu de détours, mais Van Huren n'hésita qu'un instant avant de donner sa réponse.

– Mais bien sûr, Danilo, si vous en avez envie.

– Super ! s'écria le jeune homme.

– Une mine d'or ? interrogea Evan.

Les mots n'étaient pas tombés dans l'oreille d'un sourd.

– L'entreprise familiale, expliqua Van Huren, avant de faire les présentations.

– Ça pourrait fournir un lieu dramatique formidable... une mine d'or... c'est quelque chose que je pourrais utiliser, un jour ou l'autre...

Il regardait Van Huren de telle manière que celui-ci n'avait plus que le choix de se laisser forcer la main ou de se montrer discourtois. Il sauta l'obstacle dans la foulée.

– Joignez-vous donc à nous lundi, je vous en prie, si cela vous intéresse.

Sans lui laisser la plus petite occasion de reculer, Evan s'empressa d'accepter en incluant Conrad dans l'affaire.

Tous deux, accompagnés des trois jeunes gens, étant allés placer leurs paris, je priai Van Huren de nous excuser d'abuser ainsi de sa générosité. Il secoua la tête.

– Tout se passera très bien. Nous emmenons rarement des groupes importants de visiteurs au fond de la mine, parce que cela ralentit trop la production, mais vous ne serez que quatre et nous pourrons vous accueillir sans interrompre le travail, si vous êtes tous raisonnables, ce dont je ne doute pas.

Avant la fin de l'après-midi, le nombre s'était élevé à cinq, car Roderick Hodge, ayant fait son apparition à Germiston et ayant eu vent de l'expédition, avait demandé en aparté à Van Huren de lui permettre d'être de la partie. Il avait en vue un reportage pour le *Rand Daily Star*.

J'aurais cru que les mines d'or étaient un filon épuisé pour la presse de Johannesburg, mais Roderick devait avoir son idée.

Il se retrouva à côté de moi pendant que j'observais Tables Turned dans le rond de présentation, affichant des atouts prometteurs auxquels il ne fallait pas se fier. Danilo et tous les Van Huren étaient allés prendre le thé avec le président, ce dont je préférais m'abstenir. Quant à Conrad et Evan, je les apercevais au loin, accostés par le suant Clifford.

– Link... dit Roderick en me touchant le bras.

Je le regardai. Son visage s'était creusé de nouvelles rides ces jours-ci; il paraissait bien trop vieux pour porter les cheveux aussi longs et un style de vêtements aussi juvénile.

– Comment va Katya ? demandai-je.

– Très bien. C'est même étonnant.

Je m'en réjouissais, dis-je, avant de lui demander s'il fréquentait beaucoup les champs de courses.

– Non... en fait, c'est vous que je suis venu voir. J'ai essayé de vous joindre à l'Iguana Rock mais on m'a dit que vous étiez ici.

– Ah, tiens ! murmurai-je.

– Euh... j'ai là-bas ce qu'on peut appeler une « source ». Cela me permet de me tenir informé, vous comprenez.

Je comprenais. Dans le monde entier existait cette petite armée grise de plombiers qui passait ses tuyaux à la presse et se faisait graisser la patte : portiers d'hôtels, porteurs de gare, concierges des hôpitaux et, dans les aéroports, quiconque pouvait laisser traîner une oreille du côté des salons réservés aux V.I.P.

– Comme j'habite de ce côté de la ville, j'ai pensé que je pouvais faire un saut.

– C'est une belle journée.

Il regarda le ciel de l'air de quelqu'un à qui il est indifférent qu'il fasse beau ou qu'il neige.

– Sans doute... Dites, j'ai eu un coup de fil, ce matin, de Joe... c'est le type qui avait installé le matériel de radio à Randfontein House.

– Oui, je me rappelle.

– Il m'a raconté qu'il avait démonté le fameux micro et que tout était normal. Bien sûr, le fil extérieur du câble coaxial était en contact avec le revêtement métallique, mais...

– Qu'est-ce au juste que le câble coaxial ?

– Vous ne savez pas ça ? Un câble électrique composé de deux fils, mais l'un occupe le centre comme un noyau tandis que l'autre est circulaire et l'entoure. Sur les antennes de télévision, vous avez du câble coaxial... ça se voit sur la fiche mâle que vous branchez sur votre téléviseur...

– Ah, bon, j'ai compris.

– Ce que Joe a découvert, c'est que le fil de terre et le fil conducteur avaient été intervertis dans la prise du magnétophone dont il se servait pour Katya. Selon lui, on met sans cesse les gens en garde sur le danger que cela représente, mais ils persistent à commettre cette erreur. Le courant allait forcément se transmettre par le micro pour rejoindre le sol à travers la personne qui le tiendrait.

Je réfléchissais.

– Est-ce que tout le magnétophone n'aurait pas dû être sous tension à ce moment-là ?

– Si. À l'intérieur, d'après Joe, il l'était sûrement. Mais on ne risquait pas de prendre des décharges. Tout le coffrage est en plastique, les boutons sont en plastique, et quant à Joe lui-même, il portait des chaussures à semelles de caoutchouc, ce qu'il fait toujours, paraît-il, par sécurité.

– Mais il avait déjà dû se servir de ce magnétophone ?

– Il dit que non. Il l'a seulement branché pour l'interview de Katya parce qu'il l'a trouvé là au moment où le sien est tombé en panne. Il ne savait pas à qui il appartenait et personne, depuis, n'est venu le réclamer.

Arknold aidait son jockey à enfourcher Tables Turned et les chevaux commencèrent à sortir pour se rendre sur la piste.

– Une véritable accumulation de malchance, dis-je.

– C'est l'avis de Joe.

Mais j'avais perçu dans la voix de Roderick une trace de scepticisme et je lui jetai un regard interrogateur.

– Voilà... reprit-il, c'est une supposition effarante, mais Joe se demandait s'il ne pouvait pas s'agir d'une tentative de coup de pub qui serait allée trop loin. Selon lui, Clifford Wenkins s'agitait autour du matériel électronique après votre premier enregistrement, c'est vous-même qui avez mis sur pied la conférence de presse, et c'est vrai qu'en fin de compte vous avez eu une presse incroyable pour avoir sauvé la vie de Katya...

— Je trouve aussi que c'est une supposition effarante, dis-je d'un ton jovial. Sachez que je suis effaré. Sachez aussi que je me suis déjà demandé, de mon côté, si ce n'était pas un coup de pub, orchestré par Katya et vous... qui serait allé trop loin.

Il parut saisi. Puis se détendit. Enfin, il sourit.

— D'accord. Ce n'est ni vous, ni nous. Et Clifford ?

— Vous le connaissez mieux que moi. Mais enfin, même s'il a vendu son âme, semble-t-il, à la Worldic, je ne lui vois pas l'audace ni l'ingéniosité requises.

— Vous le mettez dans tous ses états. Il n'a pas toujours cet air cafouilleur qu'il a adopté depuis votre arrivée.

Un peu plus loin le long des barrières, Danilo tournait vers le poulain de Nerissa son visage au sourire ouvert. S'il avait su qu'il allait si tôt en hériter, pensai-je, il se serait peut-être fait davantage de souci.

Arknold l'ayant rejoint, tous deux gagnèrent les tribunes, suivis par Roderick et moi. Nous regardâmes tous Tables Turned partir à belle allure, faiblir à quatre cents mètres du poteau et terminer à l'état d'épave.

Maugréant tout seul, le visage fulminant, Arknold se cogna à moi en descendant les marches des tribunes pour aller se livrer, avec le jockey, à un constat de défaite.

— C'est trop, monsieur, s'exclama-t-il. Cette fois, c'est trop. C'est un sacrément bon poulain, il aurait dû mettre la moitié de la ligne droite dans la vue de tout ce lot-là.

Refermant ses mâchoires comme un piège à loup, l'entraîneur poursuivit son chemin à travers la foule.

— De quoi s'agit-il donc ? demanda Roderick

d'un air distrait, tellement distrait que je pensai au *Rand Daily Star* et me gardai de le mettre au courant.

– Aucune idée, affirmai-je en feignant un léger étonnement, mais l'expression dubitative du journaliste montrait que lui aussi se souvenait que j'étais acteur.

En quittant les tribunes, je réfléchis à la marche à suivre et parvins à la conclusion que Klugvoigt se prêtait le mieux à mes vues. J'entraînai donc discrètement Roderick vers Conrad et Evan qui projetaient une visite au bar, et je m'éclipsai pendant qu'il commençait à exposer à Conrad les théories de Joe et du câble coaxial.

Dans sa loge réservée, le président était entouré de dames aux chapeaux spectaculaires. Me voyant passer tout seul, il me fit signe de monter et, dès que je me fus approché, me mit dans la main un verre tiédasse de whisky noyé.

– Comment vont vos affaires ? demanda-t-il. Vous gagnez, j'espère ?

– Disons que je ne perds pas, répondis-je en souriant.

– Quels sont vos favoris dans la suivante ?

– Il faut d'abord que je les voie dans le rond de présentation.

– Vous avez bien raison.

J'exprimai mon admiration pour les aménagements.

– Les tribunes paraissent toutes neuves.

– Cela ne fait pas longtemps qu'on les a construites, en effet. Le besoin en devenait urgent.

– Et la salle des balances... Vue du dehors, elle paraît extrêmement confortable.

– Vous ne vous trompez pas, mon cher ami. (Une idée lui traversa l'esprit.) Cela vous amuserait-il de jeter un coup d'œil à l'intérieur ?

J'acquiesçai chaleureusement en me montrant prêt à me mettre en chemin sans attendre, afin qu'il ne se laissât pas distraire de ce projet. Quelques instants plus tard, nous nous débarrassions de nos verres à moitié pleins et nous nous dirigions vers le grand bâtiment administratif qui abritait, au rez-de-chaussée, les vestiaires et la salle de pesée avant la course, et les bureaux au premier.

L'installation était moderne et confortable, bien supérieure à beaucoup de bâtiments équivalents en Angleterre. Il y avait une grande pièce, meublée de fauteuils, où propriétaires et entraîneurs pouvaient en toute quiétude mettre au point leurs tactiques et analyser leurs échecs, mais Klugvoigt, sans s'y attarder, m'entraîna vers le fond du bâtiment.

Les jockeys eux aussi avaient été gâtés : on leur avait installé de vrais vestiaires individuels pour y suspendre leurs vêtements (au lieu d'une simple rangée de portemanteaux), un sauna (en plus des douches) et des lits-banquettes rembourrés pour se reposer (au lieu d'un étroit banc de bois).

L'homme que j'espérais voir se trouvait allongé sur l'un de ces lits recouverts de cuir noir, appuyé sur un coude. D'après le programme, je savais qu'il se nommait K. L. Fahrden. C'était le jockey de Greville Arknold.

Je dis à Klugvoigt que j'aimerais parler à cet homme. Bien sûr, répondit-il, tant que je voulais, il m'attendrait dans le salon d'accueil près de l'entrée, car lui aussi souhaitait parler à quelqu'un.

Fahrden avait la fine ossature habituelle, sans tissu graisseux pour l'enrober sous la peau. Son attitude circonspecte s'était légèrement atténuée quand Klugvoigt lui avait dit mon nom, mais pour redoubler ensuite dès que j'eus expliqué que j'étais un ami de Mme Cavesey.

— Ce n'est pas ma faute si ses chevaux n'avancent pas, déclara-t-il d'emblée, sur la défensive.

— Je le sais bien. Je voulais seulement vous demander quel effet ils vous font personnellement, afin de pouvoir transmettre vos remarques à Mme Cavesey.

– Ah, bon. Si c'est ça… (Ayant réfléchi, il se livra davantage.) Au départ, vous voyez, on les sent bien. Il y a tout le ressort qu'on veut, et ils sont contents d'y aller. Et puis, au moment de fournir l'effort, vous voyez, pour accrocher les chevaux de tête, ils vous fondent dans les mains, y a plus rien, plus de jus, vous voyez, ils sont battus tout de suite.

– Je suis sûr que vous avez dû beaucoup gamberger là-dessus. À votre avis, qu'est-ce qui cloche chez eux ?

Il me jeta un regard en biais.

– Je n'en sais rien.

– Vous avez sûrement votre idée ?

– Eh bien, la même que n'importe qui, concéda-t-il à regret. Et vous ne me tirerez pas un mot de plus.

– Et le premier garçon de M. Arknold, qu'est-ce que vous en pensez ?

– Barty ? Cette grande brute… Je peux même pas dire qu'il m'occupe beaucoup la tête, celui-là. J'aimerais pas trop le rencontrer le soir au coin d'un bois, si c'est ce que vous voulez savoir.

Non, ce n'était pas vraiment ce que je souhaitais apprendre mais je laissai tomber. Je lui demandai simplement comment il s'entendait avec Danilo.

– Ça, c'est vraiment un type sympa, répondit-il avec chaleur pour la première fois. Il s'intéresse toujours de très près aux chevaux d'Arknold, bien sûr, puisqu'il y en a plein qui sont à sa tante.

– Vous l'aviez déjà vu la première fois qu'il était venu ?

– Évidemment. Il est resté pendant une quinzaine de jours dans un hôtel de Summerveld. Un type formidable. Toujours partant pour une bonne rigolade. Il m'avait raconté qu'il venait de chez sa tante, que c'était une chouette bonne femme.

Il n'y avait que lui pour se dérider un peu, quand les poulains ont commencé à mal courir.

– C'est arrivé à quel moment ? glissai-je d'un ton de sympathie.

– Oh, ça fait déjà longtemps, en juin, quoi. Depuis, on est passé par toutes les enquêtes possibles, pour trouver la cause. Les tests de doping, les vétérinaires, et tout et tout.

– C'est bien, de monter pour Arknold ? demandai-je.

Je le vis aussitôt se refermer comme une huître.

– Je tiens trop à mon boulot pour répondre à cette question.

Rejoignant Klugvoigt dans le salon d'accueil, je le remerciai vivement et nous revînmes ensemble vers le rond de présentation. Quelqu'un l'ayant abordé, je poursuivis mon chemin tout seul à travers l'hippodrome, jusqu'aux simples gradins de bois qui se dressaient de l'autre côté. De là, on avait une vue d'ensemble : le long édifice des tribunes, le petit bouquet de parasols, la rangée de loges réservées; derrière, le rond de présentation et la salle des balances.

Entre tous ces repères allaient et venaient en bavardant, en s'agglutinant pour échanger quelques tuyaux ou boire un verre, Danilo et Arknold, Conrad et Evan, Roderick et Clifford Wenkins ainsi que Quentin, Vivi, Jonathan et Sally Van Huren.

Ce soir-là, en rentrant à l'Iguana Rock, je demandai pour le lendemain dimanche, à dix heures, une communication avec Charlie, que j'obtins ponctuellement.

Nous entendions nos voix aussi clairement que si nous avions été éloignés d'une dizaine de kilomètres au lieu d'une dizaine de milliers. Elle était contente que j'appelle, me dit-elle, et heureuse que je ne sois pas électrocuté : hé oui, tous les journaux chez nous avaient publié la nouvelle, et il s'en était trouvé un ou deux pour suggérer qu'il s'agissait d'une mise en scène.

– Ils se trompent. Je te raconterai tout à mon retour. Comment vont les enfants ?

– Très bien. Chris a décidé qu'il veut être astronaute et Libby est parvenue à dire « l'eau » quand elle veut aller dans la piscine.

Magnifique ! dis-je à propos de ce progrès de Libby, et Charlie reprit le mot, magnifique, oui, c'était magnifique.

– Tu me manques.

– J'ai l'impression qu'il y a bien plus de quatre jours que tu es parti, me répondit-elle du même ton léger.

– Je rentrerai tout de suite après la première. En attendant, je vais visiter une mine d'or et passer quelques jours dans le parc Kruger.

– Veinard !

– Quand les gosses retourneront à l'école, on s'offrira des vacances quelque part, rien que nous deux.

– Compte sur moi pour te rappeler cette promesse !

– Tu peux choisir l'endroit qui te plaît, commence tout de suite à étudier la question.

– D'accord, dit-elle avec désinvolture, mais l'intonation était tout heureuse.

– Écoute... en fait, je téléphonais au sujet de Nerissa.

– Tu as découvert ce qui ne va pas ?

– Je ne sais pas trop... Mais il m'est venu une idée assez explosive. Seulement, je ne peux pas savoir si j'ai vu juste tant que tu ne m'auras pas rendu un service, si tu peux.

– J'écoute.

– Je voudrais que tu jettes un coup d'œil au testament de Nerissa.

Je sentis qu'elle avait le souffle coupé.

– Comment diable veux-tu que je m'y prenne ?

– Demande-le-lui. Je ne sais pas comment tu peux présenter cela, mais, si elle s'est amusée en le rédigeant, il se peut qu'elle soit disposée à en parler avec toi.

– Bon… mais qu'aimerais-tu au juste que je découvre si elle m'autorise à le lire ?

– Je veux savoir en particulier si, en plus des chevaux, elle lègue le reliquat de ses biens à Danilo.

– D'accord, dit Charlie d'un ton peu convaincu. Est-ce que c'est très important ?

– Oui et non. Le jeune Danilo se trouve ici, en Afrique, en ce moment.

– Ah, bon ? Nerissa ne nous l'avait pas dit.

– Elle ne le sait pas.

Je décrivis à Charlie le blond jeune premier ainsi qu'Arknold, et je lui racontai la manière dont tous les poulains perdaient.

– On dirait que l'entraîneur pratique le sabotage, commenta-t-elle.

– C'est exactement ce que j'ai d'abord pensé. Mais maintenant… Bref, je crois que c'est le beau petit Californien, notre cher Danilo.

– Mais ce n'est pas possible ! Qu'aurait-il à y gagner ?

– Les droits de succession.

Charlie marqua un silence avant de réagir.

– Tu n'y penses pas…

– J'y pense très sérieusement. C'est une hypothèse, en tout cas. Mais je ne tiens pas le moindre commencement de preuve.

– Je ne vois pas trop…

Il était temps d'exposer ma théorie.

– Imagine que Nerissa, lorsque Danilo est allé la voir au début de l'été pour leurs premières retrouvailles depuis de longues années, lui ait révélé qu'elle souffrait de la maladie d'Hodgkin. Il n'avait qu'à chercher dans un dictionnaire médical pour apprendre que l'issue est toujours fatale.

– Mon Dieu ! soupira-t-elle. Allez, continue.

– Il a beaucoup plu à Nerissa. Il faut dire que c'est un garçon séduisant de bien des manières. Supposons qu'après en avoir pris la décision, elle ait informé Danilo qu'elle lui léguait ses chevaux ainsi que de l'argent.

– Cela fait beaucoup de suppositions.

– En effet. Tu veux bien poser la question à Nerissa ? Lui demander si elle a dit à Danilo de quoi elle souffrait, et aussi de quoi il hériterait ?

– Mon chéri, elle serait trop bouleversée, au point où elle en est, de découvrir qu'elle s'est trompée sur le compte de ce garçon, dit Charlie qui semblait elle-même consternée. Elle est si contente de l'avoir retrouvé à temps pour en faire son héritier.

– Essaie simplement de la lancer sur ce sujet, si tu y parviens, et pose-lui la question en passant. Je suis d'accord avec toi : il ne faudrait pas heurter ses sentiments. Peut-être même vaudrait-il mieux laisser Danilo s'en tirer impunément. À la vérité, j'ai réfléchi à cela pendant une bonne partie de la nuit. Il l'a escroquée du gain des courses qu'elle aurait pu remporter. Quelle gravité cela peut-il revêtir à ses yeux ?

– Il se peut que cela la fasse rire. Comme toi, il y a un instant. Ou même qu'elle trouve que c'est une idée très ingénieuse.

– Oui… L'ennui, c'est qu'il a aussi escroqué les turfistes sud-africains, mais je suppose qu'il revient aux organisateurs des courses de régler l'affaire, s'il se fait prendre.

– Qu'est-ce qui t'a amené à croire que c'est lui ?

– Rien de tangible. Essentiellement un ensemble de petites phrases et d'impressions saisies au hasard, mais, hélas, très peu de faits réels. Voyons… D'abord, Danilo était auprès des chevaux quand ils ont commencé à avoir de mauvais résultats. Leur jockey m'a dit qu'il était en Afrique à cette époque-là, en juin, pendant quinze jours, et cela devait être à la suite de son séjour chez Nerissa puisqu'il a raconté au jockey qu'il venait de la voir. Ensuite, il est sans doute retourné aux États-Unis pour quelque temps, mais les chevaux ont continué de se faire battre, par conséquent ce n'est évidemment pas lui qui procédait en personne au sabotage. On ne voit d'ailleurs pas comment il aurait eu l'occasion de le faire, mais il semble avoir une complicité avec le premier garçon d'Arknold : je m'empresse de convenir que, sur ce dernier point, je ne possède pas d'autre indication que les regards qu'ils échangent. Soit dit en passant, Danilo ne surveille jamais son visage. Il surveille sa langue, mais pas son visage. Supposons donc que c'est Barty, le premier garçon, qui se charge de faire ce qu'il faut, dûment rétribué par Danilo.

— Admettons, mais… si tu as raison… comment s'y prend-il ?

— Il n'existe que deux méthodes complètement impossibles à détecter et qu'on puisse appliquer sans danger pendant longtemps : un excès d'exercice, qui fait que toute la réserve d'énergie est brûlée avant la course (mais, dans ce cas-là, l'entraîneur est manifestement coupable, les gens s'en aperçoivent et le dénoncent)… ou alors, la méthode que je crois être celle de Barty, tout simplement le bon vieux seau d'eau…

— Oui, on s'arrange pour que le cheval ait soif, au besoin on rajoute un peu de sel dans sa ration, après quoi on lui donne à boire un ou deux seaux d'eau juste avant la course ?

— Exactement. Les pauvres, ils ne peuvent pas tenir la distance avec dix ou quinze litres d'eau qui ballottent dans leur estomac. Quant à Barty… même s'il n'est pas toujours là pour intervenir au bon moment, il inspire aux lads une telle crainte qu'ils se trancheraient sans doute l'oreille docilement s'il leur en donnait l'ordre.

— Oui, mais si le premier garçon agit ainsi

depuis des semaines et des semaines, comment l'entraîneur ne s'en serait-il pas aperçu ?

— Je crois qu'il est au courant. Cela ne lui plaît pas, à mon sens, mais il laisse faire. Il a dit que « c'était trop », hier, quand un des meilleurs poulains de Nerissa s'est fait complètement reléguer dans une course de niveau peu élevé. Autre chose : il a formulé lui-même à mon usage une interprétation de ce qui se passait et pourrait arriver dans un avenir proche. Il m'a accusé de vouloir insinuer qu'il faisait perdre les chevaux afin d'amener Nerissa à les mettre en vente : ainsi pourrait-il les acheter bon marché, recommencer à gagner et les revendre avec profit pour la reproduction. Je n'avais pas dépassé le stade des vagues supputations dans ce sens, mais c'est lui qui les a cristallisées, comme si cette idée n'avait rien eu de nouveau pour lui. En fait, c'est à partir de ce moment-là que je me suis posé des questions sur Danilo. En observant aussi sa façon de sourire en regardant l'un des poulains s'engager sur la piste. C'était un mauvais sourire. En tout cas... s'il peut réduire pratiquement à rien la valeur des chevaux d'ici la mort de Nerissa, il y aura beaucoup moins de droits à payer que s'ils étaient tous des cracks. Étant donné qu'il y en a onze, la différence se monterait à des milliers et des milliers de livres. Le bénéfice justifierait l'investissement de deux ou trois voyages en Afrique et le pot-de-vin du premier garçon. Je crois que le système va être modifié, mais sous la réglementation actuelle il faudrait quand même qu'il compte aussi sur le reliquat de la succession, pour que ce petit jeu ait un sens.

— Envoie-moi une bouée, je perds pied, s'écria Charlie.

— Écoute bien, répondis-je en riant. Les droits de succession seront perçus sur l'ensemble des biens de Nerissa. Puis chacun des legs spécifiques ira à son destinataire. Ce qui restera alors constituera le reliquat. Bien que les chevaux soient en Afrique du Sud, les droits seront payés en Angleterre, puisque c'est là que vit Nerissa. Si donc la succession devait acquitter des milliers de livres de droits sur les chevaux, ce serait autant de moins dans le reliquat dont Danilo hériterait.

– Compris.

– Ensuite, dès qu'il aura ses chevaux bien à lui, il mettra fin au système des seaux d'eau, il les laissera gagner, il les vendra ou il en fera lui-même des reproducteurs, et passez la monnaie.

– Pas bête. Pas bête du tout !

– Et simple comme bonjour, qui plus est.

– Au fait, suggéra Charlie, nous ne pourrions pas trouver quelque chose de notre côté, dans le même style ? Cette montagne d'impôts supplémentaires que nous payons... et quand l'un de nous deux mourra, on va encore casquer une grande partie de ce que le fisc nous aura laissé...

Je souris.

– Je ne vois rien dont la valeur puisse être aussi fluctuante que celle d'un cheval de course.

– Alors, si on en achetait d'autres ?

– Cela t'oblige en outre à prévoir, à un mois près, à quel moment tu comptes mourir.

– Ah, zut alors ! La vie n'est qu'un lit de chardons.

– Et ce sont les ânes qui les mangent.

– Pas les chevaux.

– Je te rapporterai une ou deux pépites de la mine d'or.

– C'est gentil.

– Et je te rappellerai, disons... jeudi soir. Je serai dans le parc Kruger à ce moment-là. Ça te va, jeudi ?

– Oui, répondit-elle, aussitôt redevenue sérieuse. J'irai voir Nerissa d'ici là et je tâcherai de m'informer.

9

Sur les pistes du petit Rand Airport, non loin de l'hippodrome de Germiston, deux Dakota attendaient, accroupis sur le train d'atterrissage de la queue, leur mufle de dauphin pointé vers le ciel, dans l'expectative.

À huit heures du matin, le lundi, nous montions à bord de l'un d'eux en compagnie de plusieurs autres passagers et d'un volume respectable de fret. Le jour et l'heure n'étaient pas tendres pour Roderick; plus que jamais le décalage entre son attachement invétéré aux signes extérieurs de jeunesse et... l'âge de ses artères sautait aux yeux. Si Roderick n'y prenait pas garde, il passerait sans transition de l'adolescence rassise à la vieillesse flagrante, erreur plus commune aux gens du spectacle qu'aux journalistes.

Il portait une longue veste de daim fauve à franges. En dessous, une chemise au col déboutonné, de couleur orangée, un pantalon taillé pour mettre en valeur sa virilité et des santiags dernier cri.

À l'opposé, vêtu de son costume de ville gris foncé, Van Huren était arrivé le dernier et prenait avec aisance la direction des opérations. Au bout d'une heure de vol, le Dakota atterrissait à quelque deux cent cinquante kilomètres plus au sud, près d'une ville minière dont le nom,

Welkom, s'étalait de toutes parts pour nous faire bon accueil.

La mine de Van Huren était située de l'autre côté de l'agglomération et un minibus était venu nous chercher. C'était une ville ordonnée, moderne, géométrique, aux rangées rectilignes de petites maisons cubiques et colorées, ponctuées de supermarchés entièrement vitrés sur de vastes surfaces. Une ville à l'emballage hygiénique, dont le flux sanguin était enfoui sous la terre.

À première vue, la mine se présentait sous la forme d'une série d'énormes terrils d'un gris blanchâtre, dont l'un était équipé d'une voie ferrée accrochée à la pente jusqu'au sommet. De plus près, on découvrait l'échafaudage mobile en haut du puits, le volume des bâtiments réservés à l'administration ou à l'hébergement des mineurs, et des palmiers dattiers par dizaines. Peu élevés, touffus, avec leurs palmes aspergées de soleil qui ondulaient joliment dans la brise légère, ces arbres d'ornement combattaient efficacement la rudesse des lieux, à la manière d'un emballage cadeau autour d'une perceuse.

Van Huren s'excusa aimablement de ne pouvoir nous accompagner lui-même au fond de la mine : il avait, durant toute la matinée, des rendez-vous qu'il ne pouvait déplacer.

– Mais je vous retrouverai à l'heure du déjeuner, promit-il, et d'abord pour vous offrir un verre dont vous aurez tous besoin !

Un de ses collaborateurs, deux ou trois échelons plus bas, nous délégua, pour guider notre visite, un jeune Afrikaner maussade, qui se présenta à nous comme Pieter Losenwoldt, ingénieur des mines, en s'empressant de laisser entendre en des termes assez explicites que cette mission était pour lui une corvée, une interruption fâcheuse de son travail et une atteinte à sa dignité.

Il nous fit entrer dans un vestiaire où nous

devions chacun revêtir une combinaison blanche, de lourdes bottes et des casques bombés.

— N'emportez rien au fond qui vous appartienne personnellement, hormis votre caleçon et un mouchoir, dit-il d'un ton dogmatique. Pas d'appareil photo, pas de caméra. (Il regardait d'un œil courroucé le matériel apporté par Conrad.) Les flashes présentent un danger. Pas d'allumettes non plus. Ni de briquet. Quand je dis rien, c'est rien.

— Et nos portefeuilles ? demanda Danilo, qui n'appréciait manifestement pas ces interdictions. L'examen du jeune homme ayant révélé à Losenwoldt quelqu'un de plus beau, de plus riche et sûrement de plus attirant que lui, il réagit en rendant encore plus agressif son ton d'adjudant-chef.

— Laissez tout ici ! répéta-t-il avec impatience. Le local sera fermé à clé. Tout sera en sécurité jusqu'à votre retour.

Sorti pendant que nous nous changions, il revint dans les mêmes dispositions.

— Prêts ? Bien. Nous allons maintenant nous enfoncer à quatre mille pieds sous terre. L'ascenseur, la cage, comme on l'appelle, descend à la vitesse de deux mille huit cents pieds par minute. Il y aura en bas des endroits où il fera très chaud. Si quelqu'un éprouve un malaise quelconque ou une sensation de claustrophobie, il faut immédiatement qu'il demande à remonter à la surface. Compris ?

À défaut d'un seul élan de sympathie, il obtint cinq acquiescements.

Son regard s'arrêta soudain sur moi, songeur, mais il chassa aussitôt le soupçon qui lui était venu, en plissant les lèvres et en secouant la tête.

— Vos lampes se trouvent sur la table. Voulez-vous vous en équiper, s'il vous plaît ?

La lampe se fixait à l'avant du casque et s'accompagnait d'un jeu de batteries qu'on portait accroché dans le bas du dos. Un fil reliait les deux éléments. Le jeu de batteries était maintenu en place par une sangle qui ceignait la taille, et cela pesait assez lourd.

En une file évocatrice des sept nains de Blanche-Neige, nous prîmes le chemin du puits de la mine. Le monte-charge qui permettait de gagner le fond n'était clos que de demi-parois, de sorte qu'on affrontait tout de suite la réalité du roc évidé. Aucun confort. Beaucoup de bruit. La notion désagréable de la profondeur vertigineuse qui s'ouvrait sous nos pieds bottés.

Sans doute la descente durait-elle moins de deux minutes en effet, mais, coincé entre Evan, dont les yeux ardents exprimaient pour une fois une certaine appréhension, et un mineur d'un mètre quatre-vingt-dix et cent kilos qui était monté à bord avec quelques copains en même temps que nous, je n'étais pas en mesure de chronométrer pour vérifier.

Ayant bruyamment touché le fond, nous sortîmes du monte-charge. Un autre contingent attendait pour remonter à la surface; à peine avions-nous évacué la plate-forme que ces hommes embarquaient à leur tour et actionnaient le système de sonneries qui déclenchaient le départ.

– Montez dans les fourgons, ordonna l'adjudant Losenwoldt. Ils ont chacun une capacité de douze personnes.

Contemplant les deux véhicules, qui ressemblaient à des cages métalliques sur roues, de taille à contenir un gros chien à condition qu'il se tienne roulé en boule, Conrad me glissa à l'oreille :

– Les sardines se contentent parfois de moins...

Je ris. Mais Losenwoldt avait raison : douze personnes pouvaient tenir dans les fourgons. Tout juste. Le dernier monté était obligé de s'asseoir dans le trou qui faisait office de porte, et de se cramponner à ce qu'il avait sous la main. C'est Evan qui monta le dernier. Il s'agrippa à la combinaison de Losenwoldt. Celui-ci goûtait de moins en moins la situation.

Chargés à plein, les véhicules bringuebalaient au long de la galerie qui s'enfonçait à perte de vue. Les parois étaient peintes en blanc jusqu'à un mètre vingt environ, puis barrées d'un trait rouge vif haut de cinq centimètres; au-dessus, la roche grise d'origine était à nu.

Conrad demanda à Losenwoldt à quoi servait ce trait rouge. Il lui fallut crier pour se faire entendre, et crier deux fois de suite, car notre guide n'avait pas l'air pressé de répondre.

— C'est un balisage pour les foreurs, cria-t-il enfin d'une voix irritée. Cette peinture sur la paroi leur permet de s'assurer qu'ils avancent bien droit. La ligne rouge sert de repère.

Tout le monde se tut. Ayant parcouru environ trois kilomètres à bonne allure, nos fourgons s'arrêtèrent brusquement en un point qui paraissait arbitraire. Soudain, on s'entendit de nouveau parler soi-même, et Losenwoldt reprit la parole :

— On descend ici et on continue à pied.

Tout le monde sortit en se contorsionnant. Les mineurs s'éloignèrent dans la galerie; quant aux visiteurs, l'information qu'on leur dispensait devait suivre un schéma préétabli.

— Tout au long du plafond, nous expliqua notre guide, toujours d'aussi bonne grâce, vous voyez courir les câbles de l'éclairage électrique.

Grâce aux lampes disposées au-dessus de nos têtes à intervalles réguliers, une lumière égale régnait en effet dans le tunnel.

— À côté, continuait-il, le doigt tendu, c'est un rail sous tension. Il procure l'énergie aux wagonnets qui emportent le minerai à la surface. Celui-ci emprunte un monte-charge rapide, plus de trois mille pieds par minute. Ce gros tuyau rond, là-haut, achemine l'air : pour ventiler la mine, on y insuffle de l'air comprimé en des points multiples.

Groupés autour de lui, nous le regardions tous comme des gosses autour d'un professeur, mais il était arrivé au bout de ce chapitre du laïus officiel et nous tourna donc le dos pour se mettre en route dans la galerie.

Nous lui emboîtâmes le pas, croisant bientôt un important groupe de Noirs qui venaient dans l'autre sens. Ils étaient vêtus comme nous, mais portaient des blousons par-dessus leur combinaison.

— Pourquoi ces blousons ? demanda Roderick.

— Il fait chaud, en bas. L'organisme s'y accoutume. Sans blouson, les hommes ont froid en retrouvant la surface. Ils peuvent prendre un refroidissement.

Evan hocha la tête. Nous poursuivîmes notre marche.

Au bout d'un moment, nous atteignîmes un espace plus large, à l'embranchement d'une seconde galerie qui partait vers la droite. Il y avait là un autre groupe de Noirs qui se rassemblaient et enfilaient leur blouson pendant qu'on les pointait sur une liste.

— Leur équipe a terminé son tour, expliquait Losenwoldt, avec sa façon de ravaler les syllabes comme s'il nous en voulait. On fait un contrôle pour s'assurer qu'il ne reste personne au fond quand se produit l'explosion.

— Une explosion, mon petit ? demanda Conrad de son air distrait.

L'expert lui jeta un regard hostile.

— Il faut faire sauter la roche à l'explosif. On ne peut pas l'attaquer avec des pics.

— Mais je croyais que nous étions dans une mine d'or, mon petit. On n'a quand même pas besoin d'explosif pour ramasser de l'or ? D'après ce que je sais, on récolte les cailloux qu'on filtre ensuite pour trier l'or.

Cette fois, c'est presque avec mépris que Losenwoldt lui répondit :

— En Californie, en Alaska, à d'autres endroits, peut-être que cela se passe ainsi. Mais en Afrique du Sud, l'or n'est pas visible. Il est présent en particules infimes dans la roche. Il faut d'abord faire sauter celle-ci, la remonter à la surface et la soumettre à de nombreuses opérations pour isoler le métal. Dans cette mine-ci, pour en obtenir une once, cela exige l'extraction de trois tonnes de roche.

Je crois que nous restâmes muets d'étonnement. Je vis même Danilo littéralement bouche bée.

— Dans certaines des mines de l'Odendaalsrus, le champ aurifère où nous sommes, continuait Losenwoldt sans paraître remarquer notre saisissement, il suffit d'extraire une tonne et demie pour une once d'or. Bien entendu, ce sont les mines les plus riches. D'autres demandent encore davantage que celle-ci, trois tonnes et demie ou quatre.

Roderick jeta un coup d'œil autour de lui.

— Et on a déjà pris tout l'or qui gisait ici même ? Et là d'où nous venons ?

C'est lui, cette fois, qui s'attira la commisération de notre mentor.

— Cette galerie n'est pas creusée dans la roche aurifère. Elle sert seulement à en permettre l'accès, pour ce secteur de la mine. Il faut d'abord s'enfoncer à plus de quatre mille pieds sous terre.

— Grands dieux ! s'exclama Conrad, se faisant notre porte-parole.

Losenwoldt poursuivait à contrecœur son exposé laborieux, mais nous étions suspendus à ses lèvres.

— Le *reef*... c'est-à-dire le banc aurifère... ne constitue qu'une mince couche rocheuse. Il s'enfonce sous terre du nord au sud. C'est au-delà de Welkom qu'il est le plus profond. Il s'étend sur une largeur de huit *miles* environ d'est en ouest, et sur une longueur d'un peu plus de quatorze *miles,* mais les limites sont irrégulières. Nulle part il n'a plus de trois pieds d'épaisseur, et dans cette mine c'est de l'ordre de treize pouces en moyenne.

L'expression d'étonnement était commune à tous ses auditeurs, mais seul Danilo avait une question à poser.

– Ça doit valoir la peine, je suppose, dit-il d'un ton sceptique. Mais tant de travail et de matériel pour obtenir si peu d'or...

– Ça doit valoir la peine, sans quoi nous ne serions pas là, rétorqua Losenwoldt, cinglant, justification que j'interprétai comme un aveu d'ignorance des chiffres de profits et pertes de cette industrie.

Mais cela devait en effet valoir la peine, sans quoi Van Huren n'eût pas habité un petit palais.

Personne d'autre n'intervint. J'ai rarement vu quiconque décourager plus efficacement toute velléité de conversation civile et détendue. Même les dispositions naturelles d'Evan à prendre la direction de toute opération se trouvaient implacablement refoulées; à la vérité, après avoir laissé paraître une certaine appréhension durant la descente, il paraissait maintenant le plus écrasé de nous tous à la pensée des milliers de tonnes de roches qui pesaient au-dessus de nos têtes.

– Très bien, dit Losenwoldt, satisfait du silence qu'il avait réussi à faire régner dans les rangs. À présent, allumez la lampe sur votre casque. L'éclairage électrique ne descend pas jusqu'où nous allons. Nous verrons bientôt les travaux d'excavation en cours, précisa-t-il en indiquant la galerie qui bifurquait.

Il partit à grands pas sans s'assurer que nous suivions tous, ce que nous fîmes pourtant, bien qu'Evan eût lancé en arrière, en direction du puits, un regard qui aurait alerté la vigilance d'un guide plus attentif.

La galerie commençait par s'enfoncer tout droit, puis tournait sur la droite. En approchant du virage, nous perçûmes un grondement dont le volume enfla de façon sensible dès que nous eûmes pris le tournant.

– Qu'est-ce que c'est que ce bruit ? demanda Evan d'une voix qui résistait encore assez efficacement à l'anxiété.

– Moitié l'air conditionné, moitié le forage, jeta Losenwoldt par-dessus son épaule sans cesser d'avancer.

La rangée d'ampoules régulièrement espacées au plafond s'arrêta. C'étaient maintenant les lampes de nos casques qui montraient la voie.

Soudain, loin devant nous, nous aperçûmes une lueur, distincte des faisceaux que nous projetions nous-mêmes. Vue de plus près, la lueur se divisa en trois lampes braquées dans la même direction que les nôtres, mais qui n'éclairaient que le rocher massif. Nous arrivions au bout de la galerie.

Ici, les parois n'étaient plus peintes de ce blanc rassurant bordé d'une ligne rouge; elles avaient la teinte grise uniforme de la roche du fond, qui accentuait, d'une certaine manière, le caractère un peu démentiel de l'entreprise consistant à forer toujours plus profond au cœur de la croûte terrestre, en quête de l'invisible poussière jaune.

Le conduit d'aération s'achevait abruptement et crachait l'air comprimé dans le mugissement de sa gueule ouverte. Au-delà, c'était la musique des marteaux-piqueurs qui dominait, aussi agressive pour le tympan que la sono effrénée de six discothèques.

Debout sur une plate-forme en planches, trois mineurs foraient un trou dans le roc près du plafond, distant du sol de quelque deux mètres cinquante. Nos lampes faisaient luire sur leur peau d'ébène la sueur imprégnant les maillots de corps et les pantalons de tissu léger dont ils étaient vêtus, au lieu des épaisses combinaisons blanches des visiteurs.

Le vacarme provenait autant du compresseur, au-dessous d'eux, que du forage proprement dit. Nous les observâmes pendant un moment. Evan essaya de poser une question, mais il aurait fallu savoir lire sur les lèvres pour avoir le moindre échange verbal.

La bouche pincée, les paupières lasses, Losenwoldt nous indiqua enfin d'un signe de tête que nous devions revenir sur nos pas. Nous le suivîmes, au soulagement croissant de nos oreilles. Fermant la marche, je me retournai à l'endroit où s'arrêtait le conduit d'air et j'éteignis ma lampe, pendant un instant, pour regarder. Trois hommes sur leur échafaudage, concentrés sur leur tâche, enveloppés par le bruit et seulement éclairés par le ver luisant sur leur front. Dès que j'aurais fait demi-tour pour m'éloigner, ils se retrouveraient seuls, dans l'isolement complet de la nuit originelle refermée sur eux. J'en retirais l'impression fantasmatique d'une équipe de diables affairés à creuser un passage vers l'enfer.

Nous ayant ramenés au point de bifurcation, Losenwoldt poussa plus loin notre instruction.

– Ces mineurs foraient des trous de près de deux mètres de profondeur, à l'aide de mèches au tungstène. En voici une pile.

Nous suivîmes du regard la direction indiquée par son doigt. Pour un œil non averti, le tas horizontal de tringles métalliques contre la paroi de la galerie ressemblait plutôt à une réserve de tuyaux; mais c'étaient des tiges pleines, d'une section de cinq centimètres environ, à l'extrémité desquelles brillait la lame de tungstène.

– Il faut remonter chaque jour les mèches à la surface pour les affûter.

Nous hochions la tête comme autant de chouettes sagaces.

– ... Ces trois hommes ont presque fini leur forage pour aujourd'hui. Ils ont percé de nombreux trous dans le fond de la galerie. Chaque trou va recevoir sa charge d'explosif, on fera sauter et ensuite on n'aura plus qu'à déblayer les débris de rocher. Après quoi les foreurs reviendront et recommenceront la même opération.

– Quelle longueur de galerie peut-on creuser par jour ? demanda Roderick.

– Huit pieds par tour d'équipe.

Adossé à la paroi, Evan se passa la main sur un front si mouillé que Clifford Wenkins lui-même n'aurait rien eu à lui envier.

– Vous ne placez jamais d'étais ? demanda-t-il.

Sans percevoir la peur qui inspirait la question, Losenwoldt répondit :

– Bien sûr que non ! Nous ne creusons pas dans la terre mais dans le soubassement rocheux. Il n'y a aucun danger que la galerie s'écroule. Il peut arriver simplement que des plaques déstabilisées se détachent du plafond ou de la paroi. Cela se produit en général dans un secteur où l'on a récemment procédé à une explosion. Dès qu'on repère ces parties fissurées, on fait tomber le morceau si c'est possible, afin qu'il ne risque pas de s'abattre plus tard sur quelqu'un.

Evan ne parut pas rassuré. Il sortit son mouchoir pour s'éponger.

– Quel genre d'explosif employez-vous ? demanda Danilo.

Losenwoldt, qui ne semblait pas apprécier le personnage, ne lui répondit pas. Également intéressé, Roderick répéta la question.

Étouffant un soupir avec ostentation, notre guide fournit l'information demandée, avec un débit plus saccadé que jamais.

– C'est du dynagel. Cela se présente sous forme d'une poudre noire. On la tient enfermée sous clé dans ces caisses rouges, fixées à la paroi du tunnel.

Il nous en désignait une qui se trouvait un peu plus loin. J'en avais vu deux ou trois au passage, avec leur cadenas, mais sans m'interroger sur leur usage.

– Demandez-lui ce qui se passe quand on déclenche l'explosion, suggéra Danilo, sarcastique, à Roderick qui obtempéra.

Losenwoldt haussa les épaules.

– Cela se conçoit, non ? Mais personne n'y assiste. Tout le monde sort de la mine avant qu'on n'actionne le détonateur. Personne ne redescend au fond avant que quatre heures se soient écoulées.

– Pourquoi donc, mon petit ? demanda Conrad.

– La poussière, répondit Losenwoldt, succinct.

– Et quand allons-nous voir ce minerai aurifère... ce *reef* ? ajouta Danilo.

– Maintenant, dit le guide en montrant la suite de la galerie principale. Dès que nous nous enfoncerons plus avant, il va faire très chaud. Il y a un tronçon sans air conditionné. Au-delà, on retrouve l'aération. Laissez vos lampes allumées, vous en aurez besoin. Attention où vous mettez les pieds. Par endroits, le sol de la galerie est inégal.

À peine jeté ce dernier avertissement, il nous tourna le dos et se remit en marche comme précédemment.

Comme précédemment, nous le suivîmes.

– Ça va ? demandai-je à Evan, ce qui eut le don de l'irriter si fort qu'il se cambra, me foudroya du regard, me certifia qu'il se sentait parfaitement bien et me demanda si je le prenais pour un imbécile.

– Non, dis-je.

– Alors, tant mieux.

Il passa devant moi pour se rapprocher de Losenwoldt, et je me retrouvai à nouveau dernier de la file.

Plus loin, la chaleur devenait intense, en effet, mais sèche, si bien qu'on la percevait sans être inondé de sueur pour autant. À ce stade, la galerie était à l'état brut : parois raboteuses, pas de ligne rouge, pas de lumière et un sol accidenté ; de plus, la pente descendante de celui-ci était assez marquée. Nous cheminions péniblement en broyant le cailloutis sous nos bottes.

À mesure que nous avancions, l'activité se faisait plus dense. Partout, des hommes en combinaison blanche s'affairaient, chargés de matériel, le faisceau de leur lampe éclairant le visage concentré de leurs compagnons. La visière du casque avait tendance à projeter une large bande d'ombre sur les yeux de celui qui le portait, et il me fallut, à une ou deux reprises, toucher Roderick qui marchait devant moi afin qu'il se retourne et me confirme que c'était bien toujours lui que je suivais.

Au sortir de la zone de chaleur, on avait l'impression de passer d'un seul coup dans l'Arctique. Losenwoldt s'arrêta pour conférer brièvement avec deux jeunes Blancs qui discutaient ensemble.

– Nous allons nous séparer ici, annonça-t-il. Vous deux, vous venez avec moi (il désignait Roderick et Evan). Vous deux, avec M. Anders (Conrad et Danilo avaient droit à une copie conforme de lui-même, en plus grand). Et vous, termina-t-il en pointant son doigt sur moi, avec M. Yates.

Plus jeune que les deux autres cadres, Yates avait, à leur égard, une attitude gauchement obséquieuse et il souffrait en outre d'un léger défaut d'élocution, provenant peut-être d'un palais fendu. M'adressant un sourire incertain, il s'excusa d'avance, espérant, disait-il, que je ne lui en voudrais pas, car il n'avait pas l'habitude de piloter les visiteurs, cela n'entrait pas dans ses fonctions régulières.

– C'est très gentil à vous d'accepter de le faire.

Les autres s'éloignaient déjà, se fondant dans le fourmillement de combinaisons blanches.

– Bon, eh bien, venez.

Nous poursuivîmes le long de la galerie. Je demandai à mon nouveau guide quelle en était la pente.

– Cinq pour cent, environ, me répondit-il.

Mais il se tut aussitôt, et je compris que tout

ce que je voudrais savoir, il me faudrait le demander. Yates ne connaissait pas par cœur le texte de la visite guidée, comme Losenwoldt, auquel rétrospectivement je trouvais des mérites.

De temps en temps, des orifices perçaient la paroi de gauche, et l'on avait l'impression d'un grand vide, derrière.

– Je croyais que cette galerie s'enfonçait dans le rocher compact, dis-je. Alors, qu'est-ce que c'est que ces trous ?

– Ah, oui… c'est que nous sommes maintenant dans le *reef*. Le minerai a déjà été prélevé en majeure partie, pour ce secteur, derrière cette paroi. Dans une minute, je vais pouvoir vous le montrer mieux.

– Le *reef* suit donc une pente de cinq pour cent ?

Mon interrogation parut le surprendre.

– Évidemment !

– Et la galerie qu'ils sont en train de forer, là-bas d'où nous venons, où conduit-elle ?

– Vers une autre partie du *reef*.

Oui. Sotte question. Le *reef* s'étendait latéralement sur des kilomètres. Bien sûr. L'extraire, en somme, c'était un peu comme de détacher de petits morceaux d'une tranche de jambon au milieu d'un gros sandwich.

– Qu'arrive-t-il quand on a extrait tout le *reef* ? repris-je. Cela doit faire d'énormes secteurs où il ne reste plus rien pour soutenir le rocher.

Cette fois, il m'informa d'assez bon gré.

– Nous laissons toujours des points d'appui. Par exemple, la paroi de cette galerie est épaisse, malgré les trous pratiqués pour les explosions et la ventilation. Plus tard, évidemment, quand on aura terminé l'exploitation de cette portion du *reef* et qu'on l'abandonnera, les excavations se refermeront graduellement. Je crois qu'une grande partie de Johannesburg s'est enfoncée de près d'un mètre, à mesure que les couches géologiques se resserraient après l'extraction de tout le banc aurifère.

– Pas récemment ? demandai-je, surpris.

– Oh, non ! Cela fait longtemps. Les champs aurifères du Rand sont moins profonds et c'est là que les premières mines ont été ouvertes.

Des hommes remontaient la galerie en remportant des mèches au tungstène, d'autres nous dépassaient dans la descente.

– Nous nous préparons pour une explosion, m'expliqua Yates sans que je le lui demande. Le travail de forage est terminé, les ingénieurs posent les charges.

– Nous n'avons donc plus beaucoup de temps devant nous ?

– Non, sans doute pas.

– J'aimerais voir le travail sur le *reef* proprement dit.

– Ah... oui. Alors, juste un peu plus loin. Je vais vous conduire à l'endroit le plus accessible. Il y en a d'autres plus bas.

Nous arrivâmes devant une ouverture, dans la paroi, plus grande que les autres. Elle partait du sol et atteignait une hauteur d'un mètre cinquante environ, mais on ne pouvait s'y engager debout, car au-dedans le boyau montait en pente raide.

– Il va falloir faire attention à votre tête, me dit Yates. C'est très bas.

– D'accord.

Il me fit passer devant lui. Sur une hauteur d'environ un mètre, l'excavation s'étendait à perte de vue dans deux directions. On avait déjà retiré beaucoup de jambon de cette partie du sandwich.

Au lieu d'un sol rocheux ferme et lisse, nous rampions maintenant sur un lit de cailloutis aux arêtes acérées, qui se dérobaient vers le bas à mesure qu'on essayait d'escalader la pente. J'avançai un peu dans cette caverne aplatie, puis m'arrêtai pour attendre Yates. Il n'était pas loin derrière, et regardait à notre droite des hommes qui travaillaient, un peu plus bas, au long d'une section arrondie de paroi rocheuse, sur une largeur d'une dizaine de mètres.

— Ils procèdent aux dernières vérifications des charges d'explosif. Tout le monde va bientôt commencer à évacuer le fond.

— Les débris que nous foulons, demandai-je, est-ce que c'est du minerai ?

— Oh, non… enfin, pas exactement. Ce sont seulement des éclats de rocher. Vous voyez, le *reef* passait à peu près à mi-hauteur de la chambre.

— La chambre ? Qu'est-ce que c'est ?

— Excusez-moi… C'est là où nous nous trouvons en ce moment. C'est ainsi qu'on nomme la partie excavée pour extraire le banc aurifère.

— Ah, bon, mais… en bas, là-bas, dans le secteur qu'on n'a pas encore fait sauter, comment distingue-t-on le *reef* ?

À mes yeux, tout était pareil. Gris foncé de fond en comble. Une voûte pleine d'aspérités, gris foncé, qui se prolongeait en parois pleines d'aspérités, gris foncé, qui se fondait dans un sol cailouteux, gris foncé.

— Je vais vous en chercher un morceau, me dit Yates, et il partit en rampant à l'oblique vers le coin où travaillaient ses collègues.

On pouvait difficilement s'asseoir, dans la « chambre ». À peine était-il possible de se tenir à quatre pattes, à condition de rentrer la tête entre les épaules. Appuyé sur un coude, je le regardai qui empruntait un petit pic et qui prélevait sur la paroi un fragment de roche. Il revint laborieusement.

— Tenez… voici un échantillon de *reef*.

Nous braquâmes dessus nos deux lampes. Un caillou gris long de cinq centimètres, aux arêtes aiguës, strié et tacheté en surface d'un gris plus foncé qui réfractait légèrement la lumière.

— Ces taches foncées, qu'est-ce que c'est ?

— C'est le minerai proprement dit. Le gris plus clair n'est que de la roche ordinaire. Plus grande est la proportion de ces parties foncées dans le *reef,* meilleur sera le rendement en or par tonne de roche.

– Cette matière sombre serait-elle donc... de l'or ?

Il hocha la tête.

– Elle en contient. En fait, elle se compose de quatre éléments : or, argent, uranium et chrome. Quand le *reef* est broyé et traité, on isole ces éléments. Il y a davantage d'or que d'argent ou d'uranium.

– Je peux garder ce morceau ?

– Oui, naturellement.

Il se racla la gorge.

– Excusez-moi, reprit-il, mais j'ai un petit travail qui m'attend en bas. Pourrez-vous retrouver votre chemin tout seul pour remonter la galerie ? On ne peut pas se perdre.

– Pas de problème. Allez-y, je ne voudrais surtout pas vous gêner dans l'exercice de vos fonctions.

– Merci.

Sur quoi il s'esquiva précipitamment, dans sa hâte de contenter les gens qui comptaient vraiment à ses yeux.

Je restai pendant un moment là où j'étais, à contempler les ingénieurs et à scruter l'espace sans fin creusé plus haut. Le faisceau de ma lampe n'en atteignait pas les limites, il s'étendait dans une obscurité impénétrable.

Derrière moi, les mineurs se faisaient rares. Les uns après les autres, ils regagnaient la galerie pour remonter vers le puits. Je glissai mon petit bout de *reef* dans ma poche, parcourus des yeux une dernière fois le décor qui m'entourait, et entrepris de regagner en rampant l'orifice par lequel j'étais entré. Je me tournai de manière à m'y engager les pieds en avant mais, au moment où je commençais à me tortiller pour descendre à reculons, j'entendis quelqu'un qui montait derrière moi dans le boyau et dont la lampe éclairait ma combinaison. Je m'immobilisai pour le laisser passer. Pendant qu'il avançait un peu, je jetai un coup d'œil par-dessus mon épaule pour voir qui c'était. Je ne pus distinguer que sa visière et de l'ombre au-dessous.

C'est alors que mon propre casque bascula en avant et qu'un solide morceau de la vieille Afrique heurta ma nuque de tout son poids.

Sonné, j'eus l'impression que ma conscience se brouillait graduellement : une chute vertigineuse me précipitait dans d'interminables puits de mine, où des points lumineux scintillaient devant mes yeux.

J'avais totalement sombré longtemps avant d'avoir touché le fond.

10

Les ténèbres.

Rien.

J'ouvre les yeux. Sans rien voir. Je porte la main à mon visage pour m'assurer que mes paupières sont soulevées.

Oui. Mes paupières sont ouvertes, mais je ne vois rien.

Mon système mental est complètement déconnecté. Je ne sais plus où je suis, ce que je fais là ni pourquoi je n'y vois plus. Le temps me fait l'effet d'être en suspens. Je ne parviens pas à déterminer si je suis ou non endormi, et pendant un moment je ne peux pas me rappeler mon propre nom.

Je sombre à nouveau. Puis j'émerge. La conscience me revient tout à coup. Je sais que je suis éveillé. Je sais que je suis moi.

Mais je n'y vois toujours pas.

Je bouge, j'essaie de me redresser. Je découvre que je suis étendu sur le flanc. En remuant, j'entends le bruit du cailloutis sous mon corps et je sens les arêtes acérées que mon poids déplace. Je suis toujours dans la « chambre ».

Prudemment, je lève la main. Le plafond rocheux est à une cinquantaine de centimètres au-dessus de ma tête.

Plus de casque. Une boule douloureuse qui enfle sur ma nuque et un mal de tête lancinant.

Vingt dieux ! J'ai dû me défoncer le crâne. Je suis dans la chambre. Je n'y vois rien parce qu'il n'y a pas de lumière. Tout le monde a évacué le chantier. Et les charges d'explosif vont être mises à feu d'un moment à l'autre.

Pendant une éternité d'inertie, je demeure incapable d'aller au-delà de l'idée que je vais me faire pulvériser avant d'avoir seulement fini d'en prendre conscience. Ensuite, je pense qu'il aurait peut-être mieux valu être pulvérisé avant de revenir à moi. Au moins, je ne serais pas là à me tourmenter. Enfin, il en est temps, je commence à me demander ce qu'il faut faire.

D'abord, la lumière.

En me palpant le dos, je trouve le fil branché sur les batteries et je tire dessus doucement. L'autre bout vient à moi en raclant les cailloux mais, dès que je ramasse la lampe, je sais qu'elle ne servira à rien. Le verre et l'ampoule sont brisés.

Elle s'est décrochée de mon casque. À la recherche de celui-ci, je tâtonne donc autour de moi en allongeant le bras, mais sans le retrouver.

Il faut d'urgence sortir d'ici, et dans la même fraction de seconde je me demande... par où est la sortie.

Je me contrains à rester immobile. Je me rappelle, en dernier lieu, avoir confirmé à Yates que je saurais bien retrouver mon chemin tout seul. J'ai dû commettre l'idiotie d'essayer de relever la tête trop haut. Sans doute ai-je heurté la voûte. Je n'en ai aucun souvenir. Le seul point qui me paraît évident, c'est que j'ai brisé ma lampe en m'effondrant et que, donc, personne ne m'a vu, étendu dans le noir.

Triple crétin ! me dis-je à moi-même. Quelle maladresse de te fourrer dans un pétrin pareil !

Précautionneusement, le bras tendu, j'avance de quelques dizaines de centimètres. Mes doigts ne rencontrent rien d'autre que de petits éclats de roche.

146

Il faut que je sache dans quel sens je vais. Sinon, je risquerais de m'éloigner de mon salut au lieu de m'en rapprocher. Il faut que je retrouve l'ouverture qui débouche dans la galerie.

Ramassant une poignée de ces petits cailloux qui ressemblent à des silex, j'entreprends de les projeter méthodiquement en rond autour de moi, en commençant par ma droite. C'est un procédé d'autant plus approximatif que certains heurtent le plafond et d'autres le sol, mais un bon nombre mettent assez longtemps à tomber pour me garantir que j'ai un peu d'espace devant moi.

En roulant pour me mettre sur le dos, je sens les batteries me rentrer dans les reins. Je défais la sangle et m'en débarrasse. Puis je recommence à jeter mes cailloux en arc de cercle autour de mes jambes.

La paroi de la galerie se trouve par là. De nombreux projectiles la touchent.

À ce stade, mon cœur bat si fort que j'en suis assourdi. Arrête ça, me dis-je, arrête ça. Ne te paie pas une telle putain de trouille, ce n'est pas ça qui va te tirer d'affaire.

Je jette encore d'autres pierres, non plus pour savoir où est la paroi mais pour dénicher le trou qui la traverse. Je le trouve presque aussitôt. Pour m'en assurer, je renouvelle l'opération, mais c'est forcément juste, car tous les cailloux qui tombent par là vont plus loin et j'entends le bruit de leur chute se prolonger après qu'ils ont atteint le sol. Ils ne sont pas assez ronds pour rouler, mais leur poids les entraîne sur la pente. Sur la pente... sur la petite pente raide du boyau qui mène à la galerie.

Encore une série de projectiles. Je déplace mes pieds, puis tout mon corps, jusqu'à ce que l'orifice soit juste en face de mes orteils. Puis, sur les coudes et les fesses, la tête soigneusement renversée en arrière, j'avance en rampant.

Quelques cailloux. Le trou est toujours là.

Je rampe. Je vérifie ma direction.

Cela ne peut pas faire plus de trois mètres. Autant parcourir trente kilomètres.

Pour savoir où j'en suis, je lève les bras en l'air. Je palpe la voûte rocheuse, rien d'autre.

Je descends encore d'un mètre. Je tâtonne autour de moi. Je trouve du rocher massif. Devant moi, sur la droite.

Encore une trentaine de centimètres. Je sens mes pieds qui plongent tout à coup vers le bas, mes genoux qui se plient. Ouvrant tout grand les bras, je sens le rocher de chaque côté. Je suis à moitié hors du trou. Prudemment, couché à plat, je progresse centimètre par centimètre jusqu'à ce que mes pieds entrent en contact avec le sol de la galerie. Même à ce moment-là, je plie les genoux et continue de ramper sans relever la tête, trop conscient de la dureté du roc au-dessus de mon tendre crâne sans protection.

Je finis à genoux dans la galerie, haletant, le ventre toujours noué par la même peur.

Réfléchir.

Les orifices s'ouvraient dans la paroi de gauche, quand nous descendions. Une fois dans la galerie, m'a dit Yates avant de m'abandonner, je ne peux pas me perdre.

O.K. Tourner à droite. Et puis marcher tout droit. Simple comme bonjour.

Je me lève en me repérant soigneusement sur le trou d'où j'ai débouché. Face à lui, je fais un quart de tour sur ma gauche. Je pose la main droite sur la paroi rêche. J'avance d'un pas.

C'est le raclement de mes semelles sur le sol rocailleux qui me fait prendre conscience pour la première fois du silence qui règne autour de moi. Avant, j'avais à la fois les cailloux et mon propre cœur pour me remplir les oreilles. Maintenant, il n'y a plus rien. Un silence aussi absolu que l'obscurité.

Je ne perds pas de temps à ruminer cette idée.

Il s'agit d'avancer aussi vite que j'ose le faire, sans renoncer à mes précautions, pas à pas. Aucun bruit... cela signifie qu'on a coupé la ventilation... ce qui n'a guère d'importance, il me reste le volume tout entier de la mine à respirer... même si la chaleur s'y installe.

Ma main perd soudain le contact de la paroi et mon cœur recommence à battre la chamade. Maîtrisant mon souffle, je recule d'un pas. Ma main droite retrouve le rocher. O.K. Vider mes poumons. Bon, maintenant, me mettre à genoux, tâtonner le long du sol sans lâcher le mur à droite... il s'agit de négocier le passage devant l'ouverture d'un autre boyau menant vers la chambre.

Des boyaux par où la déflagration va se transmettre lorsque les charges exploseront. Elle a d'autant plus de portée qu'elle est confinée dans un long conduit de section étroite. La déflagration possède une force meurtrière, aussi meurtrière en soi que la projection de débris rocheux.

Miséricorde ! Enfer de merde ! À quoi pense-t-on quand on va sans doute périr d'un instant à l'autre ?

Je pense à remonter aussi loin en direction du puits et aussi vite que j'en suis capable. Je pense à ne pas perdre le contact avec la paroi de droite, chaque fois que je passe devant un trou, sous peine de courir le risque de tourner en rond dans le noir, de tomber sur la paroi d'en face et de retourner droit sur l'explosion. Franchement, je ne pense à rien d'autre. Pas même à Charlie.

Je poursuis mon chemin. Il fait de plus en plus chaud. Dans la portion de tunnel où nous avions trouvé l'air chaud en descendant, mes nerfs subissent à présent une véritable agression.

Dans ma progression acharnée, je suis incapable de juger à quelle vitesse j'avance. Très lentement, sans doute. Comme dans un cauchemar, où l'on demeure incapable de se mettre à courir pour fuir la terreur qui vous talonne.

J'atteignis finalement le point de bifurcation sans que l'explosion ait eu lieu. Il devait s'en produire une autre dans la seconde galerie en cours de forage... mais là, le virage était propre à amortir une partie de la déflagration.

Laissant enfin un début d'espoir s'infiltrer en moi, et toujours sans lâcher la paroi de droite, accroché à elle comme à ma vie, je poursuivis mon lent cheminement. Trois kilomètres, peut-être, à parcourir encore jusqu'au bas du puits... mais chaque pas me mettait un peu plus à l'abri du danger.

Ces poches fatales de dynagel n'explosèrent finalement pas; tout au moins, pas tant que j'étais au fond de la mine.

Un pas encore dans la nuit. Et, le pas d'après, la lumière m'aveugla.

Je fermai les yeux, incapable d'abord de l'affronter, m'arrêtai de marcher et m'appuyai contre la paroi. Quand je les rouvris, les ampoules électriques scintillaient, dans toute leur splendeur, et la galerie avait retrouvé cet aspect solide et rassurant avec ses peintures blanc et rouge, qu'elle nous avait présenté à l'aller.

Soulagé mais affaibli, je me détachai du mur et me remis en route malgré le tremblement qui s'emparait de mes genoux et le retour du mal de tête, térébrant comme une gueule de bois.

Le bourdonnement de fond avait repris dans la mine et, loin devant moi, vers le haut de la galerie, un bruit distinct s'affirmait peu à peu : le vacarme des fourgons à cage métallique qui descendaient. Il cessa bientôt, remplacé par le bruit des bottes de plusieurs personnes et, pour finir, je vis apparaître au détour d'une courbe quatre hommes en combinaison blanche.

Ils avançaient d'un pas précipité.

En m'apercevant, ils se mirent à courir. Juste avant de m'atteindre, ils ralentirent et s'arrêtèrent; leurs visages montraient le soulagement de me voir sur pied. L'un d'entre eux était Losenwoldt, je ne connaissais pas les autres.

– Monsieur Lincoln... ça va ? me demanda quelqu'un d'une voix angoissée.

– Mais oui, dis-je, en trouvant moi-même que ma réplique ne sonnait pas très juste. Mais oui.

La deuxième intonation était déjà bien meilleure.

– Comment avez-vous fait pour vous égarer ?

Le ton de Losenwoldt était réprobateur : il voulait surtout souligner qu'il n'avait aucune responsabilité dans ce qui s'était passé. Je me serais d'ailleurs bien gardé de l'en accuser, mais il prenait les devants.

– Je suis navré d'avoir causé tant d'ennuis... Je crois que j'ai dû me cogner la tête et m'assommer, mais pour le moment je suis incapable de m'en souvenir... (Je sentis mon front se plisser.) C'est complètement idiot de ma part.

– Où étiez-vous, au juste ? me demanda-t-on.

– Dans la chambre...

– Bon sang ! Vous avez dû lever la tête trop brusquement... ou alors, c'est une plaque de rocher qui s'est détachée et qui vous a heurté.

– Oui, sans doute.

Un autre prit la parole :

– Bon, mais si vous avez perdu connaissance dans la chambre, comment diable avez-vous fait pour remonter jusqu'ici ?

Je leur racontai mon histoire de petits cailloux. Ils se taisaient, se contentant d'échanger des regards.

L'un d'entre eux vint inspecter ma nuque.

– Vous avez du sang sur les cheveux et sur le cou, annonça-t-il au bout d'un instant, mais il semble avoir séché... je crois qu'il ne coule plus. Vous sentez-vous en état de marcher jusqu'au fourgon ? me demanda-t-il. Nous avons apporté un brancard... pour le cas où...

Je souris.

– Je pense que je vais pouvoir marcher.

Nous partîmes.

– Comment avez-vous découvert que j'étais resté en bas ? demandai-je.

Quelqu'un me répondit d'une voix contrainte :

– Notre système de contrôle, pour s'assurer que tout le monde est sorti de la mine avant l'explosion, est en principe infaillible... C'est vrai, d'ailleurs, en ce qui concerne les mineurs. Mais pour les visiteurs... Comprenez-vous, nous n'accueillons pas souvent un petit groupe de visiteurs non officiel, comme aujourd'hui. M. Van Huren n'invite presque jamais personne, et nul autre que lui n'en a le droit. En général, ce sont des groupes de touristes, une vingtaine de personnes, et le travail, au fond de la mine, s'arrête plus ou moins pendant qu'on leur fait faire le tour, mais cela ne se passe qu'une fois toutes les six semaines environ, pas davantage. On ne déclenche pas d'explosion ces jours-là, habituellement. Tandis qu'aujourd'hui un de vos compagnons ayant été saisi d'un malaise est parti avant les autres, alors tout le monde a dû supposer que vous l'aviez accompagné. Tim Yates a dit qu'au moment où il vous avait quitté, vous étiez sur le point de reprendre la galerie pour sortir.

– C'est exact. Je m'en souviens.

– Les trois autres membres de votre groupe sont remontés, les contrôleurs ont pointé tous les mineurs; nous avons donc présumé que tout le monde était en sécurité et nous allions actionner les détonateurs...

Un grand maigre prit le relais de la narration :

– C'est à ce moment-là qu'un des employés chargés de compter les hommes à la descente et à la montée de la cage a affirmé qu'il en était descendu un de plus. Les contrôleurs d'équipes ont protesté que c'était impossible, ils avaient pointé tous les noms un par un. Le type de la cage a soutenu qu'il était sûr de ce qu'il avançait. Voilà, alors cela ne laissait plus que les visiteurs. On a donc vérifié de ce côté-là. Les trois qui étaient dans le vestiaire ont dit que vous ne vous étiez pas encore changé, vos vêtements personnels étaient là, et que vous deviez donc vous trouver à l'infirmerie avec un certain Conrad, celui qui avait eu ce malaise...

— Conrad ! m'exclamai-je, ayant présumé qu'il s'agissait d'Evan. Qu'est-ce qui lui a pris ?

— Ils ont dit, je crois, qu'il avait eu une crise d'asthme. En tout cas, on est allé le voir, et il a certifié que vous n'étiez pas remonté avec lui.

Si je m'étais trouvé en sa compagnie, c'est ce que j'aurais sûrement fait, mais je ne l'avais plus revu à partir du moment où nous nous étions séparés à l'approche du *reef*.

Arrivés devant le fourgon, nous grimpâmes à bord. C'était spacieux pour cinq personnes au lieu de douze.

— Celui qui était souffrant, déclara Losenwoldt d'un ton vertueux, le type un peu fort à la grosse moustache, il n'était pas avec moi. Sans cela, bien sûr, je l'aurais raccompagné jusqu'ici et, bien sûr, j'aurais su que vous n'y étiez pas.

— Bien sûr, répétai-je sèchement.

Nous remontâmes bruyamment le long de la galerie jusqu'au bas du puits et, de là, après l'échange rituel de sonneries de signalisation, la cage nous hissa à travers mille deux cents mètres de rocher vers la lumière du soleil. Son éclat m'éblouit, et l'impression de froid me fit grelotter.

— Un blouson, s'exclama l'un de mes compagnons. On avait descendu une couverture... on aurait dû vous envelopper dedans.

Entré précipitamment dans un petit bâtiment près du puits, il en ressortit avec une vieille veste en tweed fatigué qu'il m'aida à enfiler.

Un comité d'accueil m'attendait avec des mines inquiètes : Evan, Roderick, Danilo et Van Huren en personne.

– Mon cher garçon, me dit-il en me scrutant comme pour s'assurer que j'étais bien là en chair et en os, que puis-je vous dire ?

– Je vous en prie, voyons, tout est arrivé par ma faute, et je suis désolé d'avoir causé tous ces tracas...

L'air soulagé, Van Huren sourit, imité par Evan, Roderick et Danilo. Je me retournai vers les trois inconnus descendus à ma recherche; Losenwoldt, lui, avait déjà disparu.

– Merci, dis-je. Merci de tout cœur.

Ils souriaient à leur tour.

– Nous comptons sur une petite rétribution, déclara l'un d'eux.

Je dus paraître un peu ennuyé. Je me demandais ce qui convenait. Quelle somme ?

– Votre autographe...

J'éclatai de rire.

– Ah, bon ! O.K. !

L'un d'eux sortit un carnet, et j'écrivis mes remerciements à chacun d'eux sur trois pages différentes. Je m'en tirais à bon compte.

Le médecin de la mine nettoya la poussière de roche de la blessure sur mon crâne. Ce n'était pas profond, me dit-il, rien de grave, pas besoin de points de suture, ni même d'un pansement, sauf si j'en désirais un.

– Non, merci.

– Parfait. Alors, avalez ça. Pour le cas où le mal de tête reviendrait.

J'avalai docilement, puis j'allai chercher Conrad, qui avait retrouvé sa respiration normale, dans une salle de repos voisine et, ainsi que nous y étions conviés, nous gagnâmes pour le déjeuner le bâtiment où se trouvaient le bar et la salle à manger. En chemin, nous échangeâmes les récits de nos mésaventures. Nous n'étions pas plus fiers l'un que l'autre.

Nous prîmes place tous les cinq à une table en compagnie de Van Huren et de deux cadres supérieurs dont le nom ne m'est pas resté en mémoire. Je l'avais vraiment échappé belle, s'extasiait chacun à tour de rôle en récapitulant mon odyssée, et je signalai avec la plus grande fermeté à Roderick que je lui serais très reconnaissant de la passer sous silence dans les colonnes de son journal.

– Oui… ne vous inquiétez pas. J'aurais eu un meilleur scoop si vous aviez été réduit en bouillie. Un agent de sécurité qui fait bien son boulot, ça ne donne pas une nouvelle à sensation.

– Grâce à Dieu ! répliquai-je.

Conrad me jeta un regard en coin.

– On doit t'avoir jeté un mauvais sort en Afrique du Sud, mon petit. Ça fait la deuxième fois en une semaine que tu es tout près d'y passer.

Je secouai la tête.

– Mais non, au contraire. J'ai survécu par deux fois. C'est ainsi qu'il faut voir les choses.

– Il ne te reste plus que sept vies, conclut Conrad.

La conversation revint sur le thème de l'or. On ne devait jamais s'en éloigner longtemps à Welkom, comme des chevaux à Newmarket.

– Dites donc, comment est-ce que vous faites pour le séparer de la roche ? demanda Danilo. On ne le voit même pas.

– C'est simple, Danilo, répliqua Van Huren avec un sourire indulgent. Vous broyez le minerai pour le réduire en poudre. Vous ajoutez du cyanure de potassium, dissolvant dans lequel les particules restent en suspens. Puis du zinc, auquel elles adhèrent. Ensuite vous rincez l'acide. Vous séparez le zinc de l'or à l'aide d'eau régale, et enfin vous récupérez l'or.

– Tout simple, en effet, mon petit, renchérit Conrad.

Le chef opérateur commençait à plaire à Van Huren qui sourit de plaisir.

– Mais ce n'est pas tout. Il reste à raffiner l'or... c'est-à-dire à éliminer les impuretés en le fondant dans un creuset, puis en le transvasant. Le résidu s'écoule et l'on obtient alors la barre d'or pur.

Danilo se livra à un calcul rapide.

– Vous aurez sorti de la mine environ trois mille cinq cents tonnes de *reef* pour une seule petite barre ?

– C'est ça, dit Van Huren en souriant. À une ou deux tonnes près.

– Combien en extrayez-vous par semaine ?

– Un peu plus de quarante mille tonnes.

Danilo battait des paupières, en effectuant son calcul mental.

– Ça fait donc... euh... à peu près onze barres d'or et demie par semaine.

– Voulez-vous que je vous embauche à la comptabilité, Danilo ? demanda Van Huren qui s'amusait beaucoup.

Mais le jeune homme n'avait pas terminé.

– Une barre pèse trente-deux kilos, c'est bien ça ? Alors ça donne... voyons... environ trois cent soixante-dix kilos d'or par semaine. Dites donc, quel est le cours actuel de l'once d'or ? Mince, alors, c'est vraiment dans ce métier qu'il faut se placer. Super !

Il était dans un état d'excitation croissante et ses yeux brillaient depuis le début de l'expédition. L'attirance pour les gros capitaux et l'esprit calculateur qu'il fallait posséder pour parvenir à frauder le fisc sur les droits de succession me semblaient fort bien aller de pair.

– Vous oubliez les charges salariales, l'entretien des installations, et les actionnaires. Il ne reste que quelques grammes de poussière quand chacun a prélevé sa part.

La moue de Danilo montrait qu'il n'en croyait rien. De sa manche de daim fauve, Roderick fit surgir son poignet de chemise orange où luisait, en guise de bouton de manchette, une demi-tonne d'œil de tigre.

— Vous n'êtes donc pas seul propriétaire de la mine, Quentin ? demanda-t-il.

La naïveté de Roderick lui valut le même sourire indulgent de la part des cadres supérieurs que de Van Huren lui-même.

— Non, répondit ce dernier. Seuls le terrain et les droits d'exploitation du minerai appartiennent à ma famille. En théorie, l'or est à nous, en effet. Mais il faut disposer d'un énorme capital, de nombreux millions de rands, pour forer un puits et pour édifier, en surface, toutes les installations nécessaires. Cela fait environ vingt-cinq ans que nous avons créé une société, mon frère et moi, pour rassembler le capital permettant de commencer les forages. La société compte donc des centaines d'actionnaires individuels.

— Cette mine ne paraît pas dater d'il y a vingt-cinq ans, dis-je doucement.

Le regard amène de Van Huren se porta sur moi et il poursuivit ses explications.

— Le secteur que vous avez visité ce matin est celui des galeries les plus récentes et les plus profondes. Il y en a d'autres, à des niveaux moins bas... Au cours des années passées, nous avons extrait toute la partie supérieure du *reef*.

— Et il en reste encore beaucoup ?

Le visage détendu de Van Huren était celui d'un homme qui ne manquerait jamais de rien.

— Mon fils Jonathan a de quoi faire jusqu'à la fin de ses jours.

Evan avait décidé qu'en l'occurrence la fin présentait plus d'intérêt que les moyens; gesticulant, braquant le feu de ses yeux sur chaque regard qu'il croisait, il se lança dans un discours avec sa passion coutumière :

– Bon, mais à quoi sert l'or ? Voilà la question que nous devrions nous poser. Que tout le monde devrait se poser. Quel sens ce métal a-t-il ? La peine qu'on prend pour le produire, le prix qu'on en donne, alors qu'il n'a aucune utilité réelle...

– Le revêtement des sondes spatiales, murmurai-je, aussitôt foudroyé par le regard d'Evan.

– Tout le monde est là à creuser le sol pour l'en extraire, après quoi on le remise sous terre à Fort Knox, où il ne revoit plus la lumière... Vous voyez bien, non, à quel point... tout cela est artificiel ? Pourquoi toute la richesse du monde devrait-elle être fondée sur un métal jaune qui ne sert à rien ?

– Pour les prothèses dentaires, c'est bien, répliquai-je.

– Il y a aussi les lamelles d'or antimonié sur les plaquettes de transistors, ajouta Roderick qui goûtait mon petit jeu.

Van Huren écoutait et observait tout cela de l'air de trouver bienvenu ce divertissement inusité pour un lundi. Je cessai pourtant de taquiner Evan, car je n'étais pas loin, après la visite de la mine, de partager son point de vue.

Dans le Dakota qui me ramenait à Johannesburg ce même soir, assis à côté de Roderick, je me sentais un peu épuisé. La chaleur de l'après-midi, que nous avions passé à prendre connaissance des installations de surface de la mine, à contempler l'or qu'on versait du creuset, à voir (et à entendre) le broyage du minerai et à visiter l'un des foyers de mineurs, n'avait pas contribué à atténuer les élancements douloureux qui me vrillaient le crâne. J'avais même failli m'évanouir une demi-douzaine de fois, mais je préférais éviter de me faire remarquer, surtout en songeant à la machine à écrire de Roderick toute prête à crépiter.

Après la visite des cuisines, nous étions passés dans le bar du foyer, où quelques personnes buvaient déjà un breuvage qui ressemblait à du chocolat très allongé de lait dans des seaux en plastique de deux litres.

– C'est de la bière bantoue, m'avait expliqué notre guide de l'après-midi, aussi affable que Losenwoldt était revêche.

Nous y avions goûté. La saveur était plutôt agréable, mais ne ressemblait en rien à de la bière.

– Est-ce que c'est alcoolisé, mon petit ? avait demandé Conrad.

Oui, mais faiblement, avait répondu son petit. Ce qui valait mieux, avions-nous songé, en contemplant un buveur qui vidait son seau en deux lampées.

Notre guide ayant fait signe à l'un des hommes assis parmi ses camarades, celui-ci s'était levé pour venir nous rejoindre. Grand, plus très jeune, il arborait un large sourire d'une blancheur éclatante que j'avais trouvé communicatif.

– Je vous présente Piano Nyembezi, avait dit le guide. C'est le contrôleur qui était sûr qu'il était resté quelqu'un au fond.

– Ah, c'est vous... ?

– *Yebo,* m'avait-il répondu, c'est-à-dire « oui » en zoulou, ainsi que je l'ai appris par la suite. (« Non » s'exprimant par un claquement, un blocage guttural et un son « aa ». Un Européen pressé n'était pas en mesure de dire « non ».)

– Dans ce cas, Piano, je tiens à vous remercier.

Il avait serré la main que je lui tendais, événement devant lequel le visage de ses amis s'épanouit, et notre guide faillit s'étrangler, Roderick secoua la tête. Evan, Conrad et Danilo restèrent sans réaction.

Il s'était produit quelques allées et venues à l'arrière-plan et l'un des mineurs s'était approché avec un exemplaire très fatigué d'une revue de cinéma.

– C'est le journal de Piano, m'avait expliqué l'arrivant en le lui fourrant dans la main.

Visiblement embarrassé, Nyembezi m'avait

cependant montré de quoi il s'agissait. Ma photo y figurait sur une pleine page, l'air aussi ennuyeux que d'habitude.

Lui prenant des mains le magazine, j'avais écrit au bas de ma photographie : « C'est grâce à Piano Nyembezi que j'ai eu la vie sauve », déclaration que j'avais fait suivre de ma signature.

— Il la gardera éternellement, déclara le guide.

Peut-être jusqu'à demain, pensai-je.

Le Dakota poursuivait son vol de bourdon. Comme nous virions sur l'aile pour prendre un nouveau cap, les rayons du soleil me frappèrent les paupières et je soulevai ma tête du dossier avec précaution pour la reposer dans l'autre sens. L'entaille sur ma nuque n'était pas profonde, sans doute, mais elle me faisait mal.

Mystérieusement, ce petit mouvement dut réveiller quelques cellules nerveuses assoupies et je me rappelai, en sourdine, qu'il y avait eu quelqu'un avec moi dans la chambre.

Tout à coup, je me souvins. Je me retournais pour descendre le boyau, lorsque je m'étais immobilisé pour laisser monter un nouvel arrivant. Je n'avais pas vu son visage, je ne savais pas qui c'était.

S'il était présent quand je m'étais heurté la tête contre le rocher, pourquoi diable n'était-il pas venu à mon secours ?

J'avais maintenant le cerveau dans un état si cotonneux qu'il me fallut encore une bonne minute avant de parvenir à la conclusion qu'il n'était pas venu à mon secours parce que c'était lui-même qui m'avait assommé.

J'ouvris les yeux en sursaut. Le visage de Roderick était tourné vers moi. J'écartai les lèvres pour le mettre au courant. Mais je refermai aussitôt la bouche. Je ne voulais surtout pas informer le *Rand Daily Star*.

11

Pendant une bonne partie de cette nuit-là que j'aurais mieux mise à profit en dormant, j'essayai de me faire à l'idée que quelqu'un pouvait avoir tenté de m'assassiner.

Qui ? Je l'ignorais. Pourquoi ? Je ne voyais pas. D'ailleurs, je n'étais pas encore tout à fait certain de tout me rappeler : peut-être l'autre homme, dans le boyau, était-il reparti sans que je m'en souvienne ?

Même si j'avais été sûr à cent pour cent de mes souvenirs, je n'aurais pas su quelle conclusion en tirer, quelle ligne d'action adopter.

Téléphoner à Van Huren ? Demander une enquête ? Il y avait tant de gens au fond de la mine, tous vêtus de même, et peu éclairés... Une enquête susciterait plus de parlotes et de doutes qu'elle ne donnerait de résultats, et je préférais me passer des potins de presse du style « Lincoln porte plainte pour tentative de meurtre ».

« Tout près d'y passer, avait dit Conrad, pour la deuxième fois en une semaine. »

Mais cela ne tenait pas debout. C'était seulement au cinéma que les types dont je jouais le rôle frôlaient la mort, et s'en tiraient miraculeusement.

Cependant, si je ne bougeais pas, qu'arriverait-il ? Si quelqu'un avait réellement tenté de m'assassiner, rien ne l'empêcherait de recommencer.

Comment pouvais-je me prémunir du matin au soir contre des armes aussi imprévisibles qu'un micro ou un morceau de rocher au fond d'une mine d'or ?

Si l'on avait commis contre moi deux tentatives de meurtre, ce que je ne parvenais pas tout à fait à croire, l'une et l'autre avaient été conçues de façon à ressembler à un accident. Cela ne me servirait donc pas à grand-chose de prendre des précautions contre le poison, les armes à feu et le poignard-dans-le-dos-au-coin-d'une-sombre-ruelle. Il vaudrait mieux me méfier des automobiles aux freins qui lâchent, des insectes à la piqûre mortelle et des balcons qui cèdent.

Durant de longues heures, je me refusai à réfléchir à la question « qui », car c'était nécessairement quelqu'un qui se trouvait au fond de la mine.

Un mineur à qui mes films auraient déplu et qui aurait voulu faire en sorte de ne plus se voir infliger le pensum d'y assister ? Il n'avait pas besoin de me tuer, il lui suffisait d'aller voir autre chose.

Quelqu'un qui aurait agi sous l'impulsion d'une jalousie d'acteur impossible à maîtriser ? À ma connaissance, le seul à me vouer une haine mortelle était Drix Goddart, mais, n'étant pas encore arrivé en Afrique du Sud, il pouvait difficilement avoir été présent à quinze cents mètres de profondeur sous la ville de Welkom.

Les gens qui travaillaient à la mine ignoraient tous que j'allais y venir et aucun d'eux n'avait paru connaître mon nom avant l'incident.

Restaient donc... Bon, il fallait y venir... Restaient Evan, Conrad, Danilo et Roderick. Sans oublier Van Huren, maître à bord et qui pouvait agir par procuration.

Dernière question : pourquoi ? La rancœur professionnelle d'Evan à mon égard ne pouvait pas l'avoir obsédé à ce point, et Danilo ignorait mes soupçons concernant ses manigances avec les chevaux; même dans le cas contraire, d'ailleurs, il n'aurait pas eu recours à l'assassinat pour cacher un délit mineur. Je l'aurais plutôt vu passer aux aveux en éclatant de rire et répliquer à une mise en garde par un haussement d'épaules insolent.

Pour Conrad, Roderick et Van Huren, l'étude des motivations prenait encore moins de temps. À eux tous, je ne leur en trouvais pas une seule qui mérite seulement qu'on s'y arrête.

Tous avaient paru soulagés (sauf Conrad qui était à l'infirmerie) lorsque j'étais sorti sain et sauf de la mine. Se pouvait-il que l'un d'eux ait paru soulagé parce que je déclarais n'avoir aucun souvenir de ce qui s'était passé ?

Tout cela me semblait invraisemblable. Je ne parvenais pas à imaginer un seul d'entre eux organisant froidement un crime. Cela ne rimait à rien. Je me faisais sûrement des idées. À force de jouer dans des films d'aventures, je commençais à les projeter dans la vie réelle.

Je poussai un grand soupir. Ma tête avait cessé de me faire mal, l'effet de commotion disparaissait peu à peu et le sommeil m'envahit insensiblement.

Au matin, mes supputations nocturnes me parurent encore plus aberrantes. C'était Conrad qui avait suggéré qu'il pouvait exister un lien entre le micro et la mine; Conrad s'était trompé.

Roderick m'appela à l'heure du déjeuner. Est-ce que cela me ferait plaisir de venir dîner chez lui, avec Katya, rien que nous trois, en toute simplicité ? Comme j'hésitais quelques secondes avant de répondre, il ajouta précipitamment que rien ne filtrerait de la soirée, rien de ce que je pourrais déclarer ne serait retenu contre moi...

– D'accord, dis-je avec un sourire dans la voix et des restrictions mentales. Comment est-ce que je vous retrouve ?

M'ayant donné l'adresse, il ajouta :

– Votre chauffeur saura où c'est.

– Ah, oui, bien sûr...

Je raccrochai pensivement. Mais pourquoi n'aurait-il pas su que j'avais cette voiture de location avec chauffeur, d'autant qu'il avait son informateur à l'Iguana ? Depuis le début, il savait où j'allais, comment j'occupais mes journées et combien de fois je me brossais les dents.

J'avais à peine raccroché que le téléphone sonnait à nouveau.

Clifford Wenkins. Pouvait-il, euh, enfin, est-ce que ça m'irait s'il venait au club ce matin afin de mettre au point, euh, les détails, euh, pour la soirée de la première ?

– Euh, oui, répondis-je.

Ensuite, ce fut Conrad qui m'appela. Est-ce que je comptais partir pour le parc Kruger avec Evan et lui ?

– Combien de temps passerez-vous là-bas ?

– Une dizaine de jours, je crois.

– Alors, non. Moi, il faudra que je sois de retour mardi prochain au plus tard. Il vaut mieux que j'y aille en voiture de mon côté. N'importe comment, ce sera plus commode d'avoir deux automobiles, puisque Evan et toi allez faire vos repérages.

Il parut soulagé : il ne tenait pas à déployer pendant une semaine des efforts en vase clos pour nous empêcher de nous étriper, Evan et moi.

Ils viendraient prendre un verre avant le déjeuner, annonça-t-il. Evan semblait déborder d'inspiration pour son nouveau film (n'était-ce pas toujours le cas ?).

Enfin, Arknold.

– Écoutez, monsieur Lincoln. C'est au sujet des chevaux de Mme Cavesey... Écoutez.

Il s'enlisait. Ayant attendu en vain qu'il terminât sa phrase, je lui tendis la perche.

– Je serai ici toute la matinée, passez me voir si vous voulez.

Trois lourdes respirations.

– Oui, peut-être. Ce serait peut-être encore le mieux. Oui. Entendu. Alors, vers onze heures, quand j'aurai fini de superviser l'entraînement des chevaux.

– À tout à l'heure.

Un chaud soleil, le ciel bleu.

Je descendis prendre mon café sur la terrasse, en lisant le journal. En rangs serrés, des colonnes pleines d'informations locales dont la lecture supposait un acquis préalable de connaissances qui me faisait défaut. J'avais l'impression d'être entré au milieu d'un film.

Un homme avait été assassiné à Johannesburg, cela faisait deux jours qu'on avait découvert son cadavre, le cou étranglé par un fil de fer.

Je posai le journal en frémissant. Personne n'en voulait à ma vie. J'avais décidé que c'était absurde. La mort violente d'un autre homme n'avait pas lieu de me donner la chair de poule. Hélas, personne n'avait prévenu mon inconscient que l'alerte était terminée.

– Bonjour, dit près de moi une voix jeune et fraîche. Que faites-vous ?

– Je regarde pousser les fleurs.

Elle s'assit en face de moi, avec le beau sourire de ses quinze ans.

– Moi, je viens jouer au tennis.

Vêtue d'une courte robe blanche, de socquettes blanches et de chaussures blanches, Sally portait deux raquettes dans leurs étuis imperméables.

Ses cheveux bruns mi-longs étaient retenus en arrière par un bandeau vert, et la fortune des Van Huren transparaissait toujours aussi sereinement dans son assurance naturelle et son allure.

– Une tasse de café ? proposai-je.

– Je préférerais un jus d'orange.

Je passai la commande.

– Vous n'avez pas trouvé la mine d'or super ?

– Ah, si, c'est super, dis-je en imitant l'accent

de Danilo comme elle avait imité son vocabulaire.

Amusée, elle plissa le nez.

– Rien ne vous échappe, hein ? Papa dit que vous avez l'intelligence intuitive, je ne sais pas trop ce que cela signifie.

– Cela signifie que je me fais des idées.

– Non, non, protesta-t-elle en secouant la tête. C'était dans un sens positif.

Avec des tintements de glaçons, elle commença à déguster le jus d'orange qu'on lui avait apporté. Elle avait de longs cils noirs et le teint crémeux. Comme toujours, je refoulai l'élan de regret instinctif qu'éveillaient en moi les jeunes filles comme Sally : ma fille à moi allait peut-être devenir aussi jolie en grandissant, mais il lui manquerait l'étincelle, l'animation de l'esprit.

Posant son verre, Sally explora du regard les bâtiments de l'hôtel, derrière moi.

– Vous n'avez pas aperçu Danilo ? Ce mufle m'avait dit qu'il serait là à dix heures, il est déjà dix heures et quart.

– Il a travaillé dur toute la journée d'hier à faire ses calculs, dis-je d'un ton très sérieux. Il doit se sentir épuisé.

– Comment ça ? Quels calculs ?

Je lui expliquai. Elle éclata de rire.

– Alors ça, j'imagine qu'il ne peut pas s'en empêcher. Tout l'après-midi de samedi, aux courses, il n'a pas arrêté. Je l'ai traité d'ordinateur sur pattes. Dites, reprit-elle après avoir bu une gorgée de jus d'orange, vous savez que c'est un joueur effréné ? Il a parié dix rands sur un cheval. Dix rands !

Je songeai que Van Huren avait réussi l'éducation de sa fille, si elle trouvait encore exorbitant un pari de dix rands.

– Attention, hein ! Le cheval a gagné. Je suis allée avec lui ramasser ses gains. Vingt-cinq rands, vous vous rendez compte ? Il dit qu'il gagne souvent. Ça avait l'air de l'amuser.

– Tout le monde perd toujours au bout du compte.

– Oh, ne jouez pas les rabat-joie ! On croirait entendre parler papa.

Ses yeux soudain agrandis, elle reporta son attention sur un point situé derrière moi.

Danilo nous rejoignit. Short blanc, jambes musclées et bronzées, léger blouson coupe-vent bleu clair.

– Salut, nous lança-t-il gaiement.

Sally lui fit écho, visiblement fascinée.

– Salut.

Sans un regard en arrière, elle nous planta là, le jus d'orange à moitié bu et moi, pour partir avec le beau garçon ainsi que le font les jeunes filles depuis Ève. Sauf que le père de cette fille-là possédait une mine d'or; et que Danilo avait fait ses calculs.

Arknold vint me retrouver à la terrasse de l'hôtel. Après une poignée de main, il s'assit, en soufflant fort et se raclant la gorge, et ne refusa pas une bière. Au loin, Danilo et Sally échangeaient des balles sporadiques par-dessus le filet et beaucoup d'éclats de rire entre-temps.

Suivant mon regard, Arknold reconnut le jeune Américain et exprima son indécision par un froncement de sourcils.

– Je ne savais pas que Danilo serait là, dit-il.

– Il ne peut pas vous entendre.

– Non, mais... Écoutez, monsieur... Ça vous ennuierait qu'on aille causer à l'intérieur ?

– Comme vous voudrez.

Nous passâmes donc dans le salon, où son appréhension l'empêchait encore de me raconter son histoire, puis enfin dans ma chambre. De la fenêtre, nous pouvions toujours voir les courts de tennis; mais on ne pouvait plus nous voir des courts.

Comme Conrad, il prit place dans le plus vaste

des deux fauteuils, qui convenait à l'image d'autorité qu'il avait de lui-même. Les masses de chair de son visage ne lui permettant pas ces expressions subtiles de sentiments que donne un simple changement de tension musculaire dans la zone des yeux, de la bouche ou de la mâchoire, j'étais presque aussi incapable que précédemment de deviner ce qu'il avait en tête. En gros, pourtant, je pressentais qu'il était partagé entre l'agressivité et l'inquiétude, d'où son hésitation apparente entre l'attaque et les politesses.

— Écoutez voir, dit-il enfin. Qu'est-ce que vous allez dire à Mme Cavesey quand vous retournerez en Angleterre ?

Je réfléchis.

— Je n'ai pas encore décidé.

Il projeta sa tête en avant comme un bouledogue.

— N'allez pas lui conseiller de changer d'entraîneur.

— Pourquoi, au juste ?

— Il n'y a rien à redire à ma manière de faire mon boulot.

— C'est vrai qu'ils ont l'air en bonne forme, concédai-je. Et ils courent comme des fers à repasser. La plupart des propriétaires vous les auraient retirés depuis longtemps.

— Ce n'est pas ma faute s'ils ne gagnent pas. Dites-le-lui de ma part, à Mme Cavesey. C'est ça que je suis venu vous expliquer. Dites-lui que c'est pas ma faute.

— Vous perdriez leur prix de pension, s'ils s'en allaient. Et vous perdriez peut-être aussi la face. Mais vous y gagneriez de ne plus craindre les poursuites pour fraude.

— Écoutez un peu, monsieur… commença-t-il, furieux, mais je l'interrompis.

— Une autre solution serait de virer votre premier garçon, Barty.

Les mots qu'il allait prononcer lui rentrèrent dans la gorge. Il resta bouche bée.

– Si jamais vous décidiez de mettre Barty à la porte, poursuivis-je d'un ton dégagé, je pourrais inciter Mme Cavesey à laisser ses chevaux là où ils sont.

La trappe de ses mâchoires se referma. Durant la longue pause qui suivit, l'agressivité s'était presque complètement éteinte, remplacée par une sorte de lassitude défaitiste.

– Je ne peux pas faire ça, dit-il, renfrogné, sans pourtant contester le bien-fondé de ma suggestion.

– À cause d'une menace de représailles ? Ou à cause des gratifications à venir ?

– Écoutez un peu, monsieur...

– Faites ce qu'il faut pour que Barty s'en aille avant mon retour en Angleterre, dis-je pour conclure, aimable.

Se levant lourdement, il me lança un regard noir qui ne m'impressionna guère. Il respirait bruyamment par le nez et n'émettait plus que des borborygmes. Je ne pus déterminer si les paroles rentrées tenaient du torrent d'invectives, de la plaidoirie ou même de l'appel au secours.

Après s'être assuré par la fenêtre que son copain Danilo était encore sur le court, il tourna les talons pour sortir de la pièce sans un mot de plus, l'image même de l'homme qui est en train de griller à petit feu.

Revenu sur la terrasse, je trouvai Clifford Wenkins qui allait en tout sens d'un pas hésitant, fourrant son nez sous le journal d'inconnus qui se trouvaient là.

– Monsieur Wenkins ! appelai-je.

Levant les yeux, il fit un signe nerveux de la tête et entreprit de contourner laborieusement les tables et les chaises pour venir jusqu'à moi.

– Bonjour, euh... Link, commença-t-il en me

tendant à moitié sa main, de trop loin pour que je puisse la serrer.

J'esquissai de mon côté des salutations tout aussi réservées. Son meilleur ami avait dû lui dire deux mots...

Nous prîmes place à l'une des petites tables ombragées par un store jaune et blanc. Une bière, euh... oui... euh... ce serait parfait. Il tira encore d'une poche intérieure une nouvelle liasse désordonnée de papiers, dont la consultation parut lui rendre quelques forces.

— Euh... ils ont décidé, à la Worldic... euh... c'est-à-dire, ils pensent qu'il vaudrait mieux, enfin... organiser la réception avant, euh... le film, comprenez-vous ?

Je comprenais. Ils avaient peur que je m'éclipse en cours de soirée, s'ils programmaient celle-ci dans l'autre sens.

— Tenez, euh... une liste des invités, euh... de la Worldic... et j'ai là, quelque part, attendez... ah, voilà, la liste des journalistes et celle... euh... des gens qui ont acheté des billets donnant accès à la réception... Nous en avions mis un nombre limité en vente mais, euh... nous avons été, euh... c'est-à-dire... il est possible que... il y ait peut-être... enfin, qu'on s'écrase un peu, vous comprenez ?

En sueur, il s'épongea avec un mouchoir blanc plié bien proprement. Il s'apprêtait manifestement à recevoir mes foudres. Mais que pouvais-je dire ? J'étais moi-même à l'origine de l'affaire; et sans doute devais-je me féliciter de ce que les gens aient envie de venir.

— Euh... alors, si vous êtes d'accord... enfin, euh... il reste encore quelques billets, euh... pour la première proprement dite, vous comprenez... euh, des billets à vingt rands...

— Vingt rands ? Mais c'est horriblement cher, non ?

— Le bénéfice ira à des œuvres, répondit-il précipitamment. Des œuvres.

– Quelles œuvres ?

– Oh, euh… attendez… j'ai marqué ça quelque part… En tout cas, reprit-il faute de trouver quoi que ce soit, des œuvres de bienfaisance. Alors la Worldic vous demande de, euh… enfin, comme il reste encore quelques billets, vous comprenez… enfin, un petit truc de promotion…

– Non.

Il parut consterné.

– Je leur avais bien dit… mais ils tenaient… euh… enfin…

Sa voix s'évanouit comme les chansons à la radio, sans qu'il ait avoué qu'auprès du comportement de la Worldic à l'égard des acteurs, les mœurs du KGB prenaient des allures paternelles.

– Où doit avoir lieu la réception ? demandai-je.

– Oh, euh… En face du Wideworld Cinema, à l'hôtel Klipspringer Heights. Je, euh… je crois que ça vous plaira, enfin… c'est un des meilleurs… euh… des meilleurs hôtels de Johannesburg.

– Parfait. Je serai de retour ici, disons, à dix-huit heures mardi prochain. Vous pourrez m'appeler à ce moment-là pour m'informer du détail des dispositions que vous aurez prises.

– Ah, oui, mais… euh… à la Worldic, ils voudraient, euh… savoir où vous logerez, euh… dans le parc Kruger…

– Je n'en sais rien moi-même.

– Alors, euh… pouvez-vous vous renseigner ? Ils ont dit, à la Worldic, euh… que sous aucun prétexte… si je ne trouvais pas ce renseignement…

– Je vois. Très bien. Je vous en informerai.

– Merci, me dit-il, pantelant. Bon, euh… enfin, voilà, euh…

Il peinait plus que jamais dans son effort pour accoucher de ce qu'il lui restait encore à me dire. Un NON majuscule s'était imprimé dans mon esprit longtemps avant que la hantise de la Worldic à ses trousses l'ait contraint à formuler sa requête.

– Nous avons, euh… c'est-à-dire, la Worldic,

euh… ils ont organisé pour vous une, euh… une séance de photos… enfin… voilà, cet après-midi, en fait, euh…

– Quelle séance de photos ?

Il s'épongeait de plus belle.

– Eh bien, rien que des, euh… des photos.

Il passa un mauvais moment à s'expliquer, et un pire moment après que j'eus compris que la Worldic souhaitait simplement obtenir quelques images de moi, en maillot de bain, alangui sous un parasol en compagnie d'une pulpeuse personne en bikini.

– Vous allez courir dire de ma part aux gens de la Worldic que leur conception de la promotion retarde de cinquante ans, s'ils se figurent que c'est à coup de tableaux d'anatomie qu'ils vont vendre leurs places à vingt rands.

Clifford Wenkins était baigné de sueur.

– Et qui plus est, vous leur annoncerez qu'ils n'ont qu'à essayer de m'embarquer encore dans un seul de leurs coups minables pour être sûrs de ne plus jamais me revoir.

– C'est que… bredouilla-t-il. Vous comprenez… après tous ces articles dans les journaux… sur votre bouche-à-bouche avec Katya… après tout ça… vous comprenez… nous avons été inondés… oui, inondés… de demandes… les places les moins chères se sont vendues comme des petits pains… ainsi que les invitations à la réception… tout est parti…

– Mais là, il ne s'agissait pas d'un coup publicitaire, dis-je d'un ton ferme.

– Oh, non… s'exclama-t-il d'une voix étranglée avant de déglutir. Non. Bien sûr que non. Oh, non. Oh, non !

En se levant, il renversa sa chaise. Les gouttes de transpiration ruisselaient sur son front, ses yeux ne maîtrisaient plus leurs mouvements dans l'orbite. À l'instant même où il allait céder à la panique et prendre la fuite, Danilo et Sally revenaient du tennis.

– Bonjour, monsieur Wenkins, lança la jeune fille, en adolescente désinvolte. Dites donc, on dirait que vous avez presque aussi chaud que nous, vous êtes tout en sueur.

Wenkins la regarda, comme hypnotisé et entreprit de tripoter son mouchoir. Danilo se contentait de le scruter d'un air pensif et se taisait.

– Bon, eh bien... je vais... euh... leur dire tout ça... mais ça ne... euh... va pas leur plaire...

– C'est cela, dites-le-leur bien. Pas de coup publicitaire.

Pas de coup publicitaire, répéta-t-il en écho mourant, mais je doutais qu'il ait jamais l'audace de transmettre un tel message.

Tout en s'affalant d'un air épuisé sur son fauteuil de jardin, Sally le regardait s'éloigner, de sa démarche incertaine.

– Mais dans quel état il se met, vous ne trouvez pas ? Vous martyrisez ce pauvre agneau, Link ?

– C'est un mouton, pas un agneau.

– Un crétin de mouton, ajouta Danilo d'un air distrait.

– Je peux avoir un jus d'orange ? demanda Sally.

Evan et Conrad étant arrivés avant le serveur, nos commandes de boissons prirent de l'ampleur. Particulièrement dictatorial ce matin-là, gesticulant, Evan imposait sa loi à Conrad qui donnait l'impression de ronger son frein : un directeur de la photographie se soumet à la volonté du réalisateur, mais il n'est pas obligé d'apprécier ce mode de relations.

– Le symbolisme, proclamait Evan, c'est l'essence même de ce film. Les gratte-ciel du type de la Post Office Tower constituent le nouveau symbole phallique de la puissance d'une nation. Un pays viril ne peut plus se dispenser de brandir son restaurant pivotant...

– C'est peut-être justement parce que chaque

pays a le sien que celui de Johannesburg n'a rien de très nouveau... murmura Conrad, d'un ton qui évitait un peu trop manifestement la polémique.

— Nous filmerons la tour, décréta Evan.

— Même si vous ne trouvez pas d'éléphant qui ait cette forme-là, ajoutai-je.

Conrad étouffa son rire et Evan me foudroya du regard.

— Qu'est-ce que c'est qu'un symbole phallique ? dit Sally, pour s'entendre aimablement conseiller par Danilo de chercher dans le dictionnaire.

Je demandai à Evan où nous allions loger à l'intérieur du parc Kruger, afin qu'on puisse me joindre en cas de besoin.

— Ne comptez pas sur moi pour vous renseigner. C'est la production qui s'est occupée des réservations, il y a belle lurette... Plusieurs campements différents, en partant du sud pour remonter vers le nord, si je ne me trompe.

— Nous en avons quand même la liste, dans nos bagages, à l'hôtel, me glissa Conrad. Je t'en ferai une copie, mon petit.

— Cela n'a pas tellement d'importance, en fait, c'étaient seulement les gens de la Worldic qui voulaient le savoir.

— Pas d'importance ! s'exclama Evan. S'ils veulent cette liste à la Worldic, bien sûr qu'il faut la leur donner ! (Evan n'avait rien à refuser à une société qui pourrait éventuellement distribuer ses chefs-d'œuvre.) Conrad n'a qu'à faire cette copie et la leur envoyer directement.

Je jetai un regard amusé au chef opérateur.

— Alors, adressée à Clifford Wenkins, suggérai-je, puisque c'est lui qui me l'a demandée.

Conrad acquiesça d'un signe bref. Se donner la peine de me copier la liste par amitié était une chose, recevoir d'Evan l'ordre de le faire en était une autre : je comprenais ce qu'il ressentait.

— Vous n'avez pas l'intention, je pense, d'amener le chauffeur que vous a alloué la Worldic ? me dit Evan avec autorité. Il n'y aurait pas de chambre pour lui.

Je secouai la tête, patient.

– Mais non... Je loue une voiture que je conduirai moi-même.

– Alors, ça va.

Sans aucune raison, confortablement assis devant son verre de gin à moitié plein, par cette belle matinée, il trouvait encore moyen de braquer sur tout un chacun des regards brûlants comme des fers rouges et de crisper ses doigts si fort que les tendons saillaient. Les boucles désordonnées de ses cheveux se dressaient sur sa tête comme les serpents de la Méduse et même l'air autour de lui donnait l'impression de vibrer de ses décharges énergétiques.

Sally le trouvait fascinant.

– Vous allez vous passionner pour la réserve, lui dit-elle avec conviction. Les animaux sont adorables.

Evan n'était capable d'affronter des filles aussi jeunes que s'il pouvait les malmener devant ses caméras et l'idée que des animaux puissent être adorables plutôt que symboliques le laissa visiblement interloqué.

– Euh... bafouilla-t-il, ressemblant tout d'un coup à Wenkins.

Rasséréné, Conrad lissait sa moustache en considérant Sally d'un œil bienveillant. Elle lui sourit avec simplicité et se retourna vers Danilo :

– Vous aussi, ça vous plairait. La prochaine fois que vous viendrez en Afrique du Sud, il faudra qu'on vous y emmène.

Danilo aurait du mal à patienter jusque-là. Conrad lui demanda combien de temps il comptait encore rester. Une semaine à peu près, répondit le jeune homme, sur quoi Sally s'inquiéta : il n'allait pas partir avant la première de Link, il n'avait sûrement pas oublié qu'il devait aller à la réception en compagnie des Van Huren ? Danilo n'avait pas oublié, ce serait super.

Devant son éclatant sourire, Sally s'épanouit. Je fis des vœux pour que le beau blond pratique la charité avec autant de zèle que l'arithmétique.

Restés pour le déjeuner, Evan et Conrad commentaient indéfiniment les lieux de tournage qu'ils avaient repérés d'un bout à l'autre de la ville. Ils allaient apparemment incorporer dans le scénario une bonne part de cinéma-vérité. Sa caméra Arriflex à l'épaule, Conrad allait filmer la vraie vie sur le vif. Le temps de venir à bout du fromage, ma conviction était faite que tout ce film, avec son symbolisme, ses éléphants et le reste, courait de grands risques de provoquer chez les spectateurs un ennui mortel.

L'ardeur de Conrad s'éveillait essentiellement pour les problèmes techniques à résoudre; la mienne somnolait; celle d'Evan, comme d'habitude, était inépuisable.

– Nous allons donc emporter l'Arriflex, évidemment, annonçait-il à Conrad. Il se peut que nous tombions sur des plans sublimes, impossibles à reconstituer... ce serait trop bête de ne pas avoir de matériel...

Conrad était d'accord. Ils abordèrent aussi la question de la prise de son et décidèrent d'emporter du matériel à cet usage. La production avait pris des dispositions pour qu'un garde du parc les pilote dans une Land Rover, ils disposeraient donc d'assez de place pour tout avoir à portée de la main.

Quant à ce qui n'entrerait pas dans leur break de location pour le voyage aller et retour, ils pourraient le caser dans ma propre voiture, n'est-ce pas ? Certes. Nous convînmes que je passerais, le lendemain matin dès la première heure, à leur hôtel, pour embarquer le surplus.

Après leur départ, je réglai la facture de la limousine avec chauffeur choisie par la Worldic et louai à la place une modeste conduite intérieure à embrayage automatique. Un employé de la société de location me la livra à l'Iguana, m'expliqua le principe des vitesses, m'assura qu'on venait juste d'en terminer le rodage et que je ne devrais avoir aucun ennui, puis il repartit avec le chauffeur.

Parti faire un tour pour me familiariser avec l'engin et m'étant égaré, j'achetai un plan et retrouvai, tout seul comme un grand, mon chemin pour rentrer. La voiture manquait de puissance dans les côtes, mais tenait très bien la route dans les virages : le véhicule du dimanche après-midi, pour promener grand-mère coiffée de son chapeau.

12

La maîtrise du plan et de l'auto me permit d'arriver devant l'immeuble de Roderick juste à la tombée de la nuit.

Avant de me mettre en route, j'avais vérifié les freins, la voiture ayant séjourné sur le parking pendant plusieurs heures. Tout allait bien, naturellement. Je me moquai, en moi-même, de ma propre sottise.

L'appartement de Roderick se trouvait au sixième étage.

Il y avait un balcon.

Le premier geste de Roderick fut de me convier à venir admirer la vue.

– C'est un spectacle merveilleux à cette heure-ci, dit-il, avec les lumières qui surgissent de tout côté. De jour, on voit trop d'usines, de routes et de terrils, à moins de s'enthousiasmer pour les marques de l'activité humaine... et il va bientôt faire trop nuit pour distinguer la forme des choses.

Malgré moi, j'hésitai au seuil du balcon.

– Venez donc ! Souffrez-vous du vertige ?

– Non.

Je finis par me hasarder dehors, et trouvai la vue à la hauteur de son baratin. Le balcon donnait plein sud, de sorte que nous avions, droit devant nous, la Croix du Sud pareille à un cerf-volant qui aurait plané sur le flanc, et une chaîne de lumières orange qui s'étirait en direction de Durban, au long de l'autoroute.

Roderick ne s'appuyait pas sur la balustrade de fer forgé qui bordait le balcon. Pour moitié transi d'appréhension, en lutte avec l'autre moitié qui me serinait de ne pas être aussi stupide, je restai en retrait, plus près du bâtiment que mon hôte : j'avais honte de ma méfiance tout en me sentant incapable de faire confiance au journaliste alors même que la suspicion me paraissait tout à fait déplacée.

Nous rentrâmes. Évidemment, sains et saufs. Je sentis se dénouer les muscles de mes mâchoires et de mon ventre sans avoir eu conscience qu'ils s'étaient noués. Pauvre imbécile, me disais-je en m'efforçant d'oublier que Roderick avait été présent lors de l'affaire du micro et lors de celle de la mine.

Son appartement était petit, mais décoré de manière voyante, comme on pouvait s'y attendre. Un fauteuil-sac noir, malléable, gisait sur un tapis d'un vert olive plutôt clair. Sur les murs kaki s'avançaient d'énormes lampes à potence en laiton, entre de grandes toiles d'une abstraction extrêmement dépouillée, dans des tons violents; une table basse à plateau de verre se présentait devant un canapé aux formes carrées, tapissé d'une imitation de peau de tigre; et, dans un coin, se dressait une imitation de boîte de bière style Andy Warhol, d'un mètre de haut. Tout ça faisait très mode, et provoquait chez le visiteur la même réaction que la personne même du maître des lieux, l'envie de lui dire : « C'est encore plus loin que cela se passe, mon vieux, et si tu ne trouves pas le moyen d'y arriver plus vite que ça, autant cracher en l'air. » On pouvait, sans se tromper, présumer qu'il fumait de l'herbe.

Bien entendu, il possédait un coûteux équipement stéréo. La musique qu'il choisit faisait moins *underground* que celle qu'on aurait pu entendre à Londres, mais les voix nasales véhiculaient très fort leur mélange d'anarchie et d'attendrissement sur soi-même. Je me demandai si cela faisait simplement partie de l'image recherchée, ou bien s'il y prenait sincèrement plaisir.

– Un verre ? me proposa-t-il, et je dis oui.

Campari-eau gazeuse, breuvage rose d'une amertume douceâtre. L'idée que ce puisse ne pas être à mon goût ne l'effleura pas.

– Katya ne va pas tarder. Elle avait un enregistrement.

– Elle est tout à fait remise ?

– Bien sûr. Cent pour cent O.K.

Il dissimulait la profondeur de son soulagement, mais je me souvenais de ses larmes d'angoisse : des sentiments authentiques vibraient encore sous la façade au goût du jour.

Il portait un pantalon « cousu sur la peau », avec une chemise bleue ajustée, à ruché, fermée par un laçage au lieu de boutons. Dans le genre pseudo-décontracté, cette façon de s'habiller équivalait à une signalisation : ici le mâle sexué dans ses beaux atours. Je songeai que mes propres vêtements devaient aussi tenir leur langage, comme ceux de tout le monde, en fait.

Le langage vestimentaire de Katya était une sonnerie de trompette : regardez-moi !

Elle arriva comme une bourrasque née du monde chatoyant du *show-biz,* le corps moulé dans une combinaison d'un jaune spectaculaire, qui s'élargissait au-dessous des genoux en volants bordés de noir. Elle ressemblait à une danseuse de flamenco fendue par le milieu et, pour parachever l'effet, elle avait planté droit dans la masse de sa chevelure un grand peigne en écaille.

Les bras grands ouverts, elle s'avança vers moi en exsudant la vitalité par tous les pores. On aurait cru qu'au lieu de l'affaiblir, l'électrocution avait décuplé son énergie.

– Link chéri, c'est merveilleux, s'exclama-t-elle en toute sobriété.

Et elle avait amené quelqu'un.

Mes défenses mentales se dressèrent aussitôt comme une herse dont les piques se firent sentir toute la soirée. Roderick et Katya m'avaient tendu un piège. Le surcroît d'exubérance malicieuse de la jeune femme trahissait leur arrière-pensée. Ce petit jeu me déplaisait, mais j'y étais habitué et jamais plus je ne me faisais avoir. Je soupirai de regret à l'idée du dîner tranquille et sans histoire promis par Roderick. C'était sans doute trop espérer en toute circonstance.

La fille était ravissante. De vaporeux cheveux bruns, des yeux immenses à l'air un peu myope. Elle portait une robe floue, longue et de couleur verte, qui flottait autour d'elle et collait à son corps à chacun de ses mouvements, pour souligner tantôt la hanche, tantôt le sein, le tout manifestement en fort bonne forme.

Roderick guettait mes réactions du coin de l'œil, tout en feignant de servir une nouvelle tournée de campari.

– Je vous présente Mélanie, dit Katya du même ton que si elle venait de découvrir Vénus sortie des vagues.

C'est vrai qu'il y avait peut-être quelque chose de Botticelli dans la ligne gracieuse du cou.

Mabel de son nom de baptême, pensai-je, peu charitablement, en lui accordant un sourire froid et une poignée de main cérémonieuse. Mélanie n'était pas du genre à se laisser décourager par un accueil distant. J'eus droit à un doux battement de ses longs cils, à une légère moue de ses tendres lèvres roses et à la promesse ardente de ses yeux ambrés. Elle n'en était pas à son coup d'essai et connaissait son pouvoir aussi bien que moi quand j'interprétais un rôle.

Mélanie s'assit près de moi sur le canapé à peau de tigre, en s'étirant voluptueusement de manière que la soie verte révèle de bout en bout sa ligne svelte. Par hasard, Mélanie n'avait pas de briquet de sorte que je fus obligé de lui offrir du feu au moyen du briquet de table en forme de globe orange. Pur hasard aussi, il lui fallut prendre ma main dans les deux siennes afin de guider la flamme vers le bout de sa cigarette. Pur hasard encore, elle prit appui sur mon bras en se penchant en avant pour faire tomber sa cendre.

Katya plaisantait brillamment, Roderick remplissait mon verre de gin quand il croyait que j'avais le dos tourné et je commençais à me demander où était caché le magnétophone. Si les faits, gestes et propos de cette petite soirée étaient destinés à rester strictement entre nous, j'étais l'archange Gabriel.

Le couvert était mis avec des bougies sur une table noire, carrée, dans un coin salle à manger aux murs moutarde. Le repas était délicieux et la conversation aiguillonnée de pointes provocatrices, mais je m'arrangeai pour les laisser ferrailler entre eux en ne répondant, quand c'était nécessaire, que par des murmures indistincts et des sourires, dont on ne pourrait rien tirer de publiable.

Le parfum de Mélanie était d'une subtile perfidie, et Roderick avait arrosé mon vin au cognac. L'œil amical, il m'observait, me parlait, s'occupait de moi en attendant que je rende les armes. Va te faire voir au *Rand Daily Star,* pensais-je; mon ami Roderick est un enfant de salaud et ma langue est à moi.

Mon regard dut trahir ma vigilance, car une expression soucieuse effleura soudain le front du journaliste et, en deux phrases, il changea de tactique, passant des sous-entendus grivois au registre social, sur le mode sérieux :

– Que pensez-vous de l'apartheid, maintenant que vous avez passé une semaine ici ?

– Et vous ? répliquai-je. J'aimerais que vous m'en parliez. Vous trois qui vivez dans ce pays... c'est à vous d'avoir une opinion.

Roderick secoua la tête, Katya dit que ce qui importait, c'était l'opinion des étrangers de passage. Seule, Mélanie, qui jouait un autre jeu, parla avec franchise.

– L'apartheid est une nécessité.

Notre hôte lui adressa un signe négatif.

– De quel point de vue ? demandai-je.

– Cela signifie qu'on vit séparément. Pas qu'une race est supérieure à l'autre, mais simplement qu'elles sont différentes et doivent le rester. Le monde entier a l'air de croire que les Blancs d'Afrique du Sud haïssent les Noirs et qu'ils s'acharnent à exercer sur eux la répression, alors que ce n'est pas vrai. Nous les aimons... Ce sont même des Africains blancs qui ont inventé la formule « *Black is beautiful* » pour donner aux Africains noirs le sentiment de leur valeur en tant qu'individus...

Ma surprise était extrême, mais Roderick acquiesça.

– C'est vrai. Le mouvement du Black Power en a fait son slogan, mais il n'en est pas l'auteur. Je crois qu'on peut dire que cette formule a atteint son objectif, et même au-delà.

– À lire les journaux étrangers, poursuivait Mélanie, on croirait que les Noirs ne sont pour nous qu'un réservoir de main-d'œuvre à bon marché. C'est de la calomnie. Les usines paient le travail des ouvriers au tarif, sans tenir compte de la couleur de la peau. Ce sont d'ailleurs les syndicalistes blancs qui l'ont imposé.

Au fond de la mine, j'avais bien vu comment étaient réparties les tâches entre Noirs et Blancs. Mais cette fille me plaisait davantage depuis qu'elle avait oublié son rôle de bombe sexuelle. Les yeux voilés pouvaient aussi jeter des flammes et, bonne ou mauvaise cause, la passion qu'elle mettait à défendre son pays lui allait bien.

– Continuez.

– Oh...

Prise de confusion pendant un instant, elle retrouva aussitôt son élan, comme un cheval son second souffle.

– Les Noirs ont tout ce qu'ont les Blancs. Tout ce qu'ils désirent. Ils sont un tout petit nombre à habiter de grandes maisons parce qu'en majorité ils n'aiment pas ça. Ce qui leur plaît, c'est la vie au grand air, et rien qu'un abri pour dormir. Mais ça ne tient qu'à eux.

Admettons, pensai-je, mais l'argent et la liberté d'action semblent être plutôt entre les mains des Blancs... J'ouvris la bouche pour formuler une remarque anodine sur les inscriptions « Non-Blancs » et « Réservé aux Blancs » au-dessus des portes d'entrée, mais Mélanie se hâta de prévenir tout commentaire adverse, à la vive contrariété de Roderick. Il tenta de lui faire des signes, mais elle était trop absorbée pour y prendre garde.

– Je sais ce que vous allez me dire. Vous allez me parler d'injustice. Les gens qui viennent d'Angleterre brandissent toujours ce mot-là. Oui, c'est vrai, il y a des injustices, et alors ? Il y en a partout, non, même chez vous ? Ça fait des gros titres, l'injustice. On vient ici tout exprès pour mettre le nez dedans, alors, bien sûr, on la trouve. Mais on oublie toujours de mentionner ce qu'il y a de bien, on ferme les yeux pour ne pas être obligé d'en parler.

Je la regardais, dubitatif.

– Le vieux principe rigide d'apartheid est en train de disparaître, vous savez, ajouta-t-elle. Même si cela ne va pas très vite.

Je me demandais comment elle réagirait si elle était noire : peut-être cette lente évolution avait-elle lieu, en effet; mais pour le moment, l'égalité des chances n'existait toujours pas. Au prix d'énormes efforts, et entre eux, les Noirs pou-

184

vaient parvenir à être enseignants, médecins, avocats, prêtres... pas jockeys.

Attendant en vain que je donne dans le panneau, Roderick se décida à nouveau à m'interpeller directement.

– Qu'en pensez-vous, Link ?

Je lui souris.

– Dans ma profession, nous ne pratiquons la discrimination ni envers les juifs, ni les femmes, ni les catholiques, ni les protestants, ni les Martiens, seulement envers les gens qui ne sont pas membres du syndicat des artistes.

Ce dernier point ne paraissait pas évoquer grand-chose pour Mélanie, tandis qu'à propos des juifs elle avait son mot à dire.

– On peut accuser l'Afrique du Sud de beaucoup de choses, mais nous, en tout cas, nous n'avons jamais envoyé six millions de Noirs à la chambre à gaz.

Futile : je pensai que cela revenait un peu à avancer pour sa propre défense que même si on avait la rougeole, on n'avait passé la coqueluche à personne.

Ayant renoncé à m'arracher une déclaration politique exploitable, Roderick tenta à nouveau de se servir des talents de séductrice de Mélanie. Elle-même avait compris d'instinct qu'elle n'avait pas intérêt à jouer sur le registre de la sexualité, et manquait maintenant de conviction pour répondre à l'attente de notre hôte. Mais il leur importait manifestement à tous deux qu'elle parvienne à ses fins, et elle refusait de se laisser décourager par mon manque d'empressement. La douce féminité de son sourire cherchait à faire bon marché de toutes les paroles sérieuses que sa bouche venait d'articuler, et les cils noirs épais s'abaissaient pudiquement.

Après un échange de clins d'yeux, aussi discrets que les signaux d'un phare dans la nuit noire, entre Roderick et Katya, cette dernière annonça qu'elle allait faire du café. Roderick l'accompagna à la cuisine, non sans avoir suggéré que nous retournions nous installer sur le canapé, ce serait plus confortable que de rester assis à table.

Mélanie sourit timidement, prouesse qui suscita mon admiration : sa timidité réelle devait valoir celle d'un sergent-major. Elle adopta une pose ravissante sur la peau de tigre, avec un drapé artistique de la mousseline verte pour épouser la rondeur parfaite de ses seins que soulevait délicatement sa respiration. Captant la direction de mon regard, elle prit des airs de chatte satisfaite.

Prématuré, ma très chère Mélanie, tout à fait prématuré, pensai-je.

Roderick revint portant un plateau chargé de tasses de café et Katya sortit sur le balcon. En rentrant dans la pièce, elle secoua la tête. Puis elle nous passa les tasses que remplissait Roderick. Son air de surexcitation mal contrôlée, qui avait disparu durant le dîner, resurgissait en force et faisait frémir les coins de sa bouche.

Je regardai ma montre. Dix heures et quart.

— Je ne vais pas tarder à me sauver. Nous partons de bonne heure demain matin.

— Oh, non ! s'exclama Katya, vous n'allez pas partir si tôt, Link !

Roderick me tendait un verre bombé qui contenait assez de cognac pour engloutir un cuirassé. J'y trempai mes lèvres. Si j'avais avalé tout ce qu'il m'avait servi ce soir, pensai-je, j'aurais été parfaitement incapable de reprendre le volant.

Mélanie envoya promener ses escarpins dorés et fit jouer ses orteils, aux ongles vernis de rose. D'un mouvement qui mettait en valeur sa cheville et son mollet nu, elle trouva le moyen de faire naître dans mon esprit l'idée qu'elle ne portait rien sous la robe mouvante.

Le café était aussi bon que le dîner : Katya était meilleure cuisinière que conspiratrice. Vingt minutes ne s'étaient pas écoulées qu'elle retournait sur le balcon. À son retour, cette fois, le signe de tête était affirmatif.

Je les regardai tous les trois en m'interrogeant. Roderick et sa tête de vieux jeune homme, Katya volantée de jaune et irresponsable, Mélanie qui tissait avec application sa toile d'araignée. Ils m'avaient tendu un piège. Bon, mais lequel ?

Onze heures moins vingt. Je finis mon café et me levai.

— Cette fois, il faut vraiment que je parte.

Je ne rencontrai plus aucune résistance. Tous trois se déplièrent pour se mettre debout.

— Merci de cette excellente soirée.

Ils sourirent.

— Quel repas délicieux, dis-je à Katya.

Elle sourit.

— Quels merveilleux alcools, dis-je à Roderick.

Il sourit.

— Quelle compagnie charmante, dis-je à Mélanie.

Elle sourit.

Pas un sourire franc à eux tous. Ils avaient des regards de chasseurs à l'affût. On ne m'avait pas laissé manquer de boisson, mais j'avais pourtant la bouche sèche.

Nous nous dirigeâmes vers le vestibule, qui n'était qu'une extension de la salle de séjour.

— Il est temps que je me sauve, moi aussi, déclara Mélanie. Roderick, pourriez-vous m'appeler un taxi ?

— Bien sûr, chérie, s'empressa-t-il de répondre avant de paraître frappé d'une idée soudaine. Au fait, j'y songe, vous allez du même côté que Link... Il ne refusera sûrement pas de vous emmener !

Ils me regardaient tous en souriant toujours.

— Mais naturellement...

Que dire d'autre ?

Les sourires n'en finissaient plus.

Mélanie récupéra un léger vêtement accroché

au portemanteau, Roderick et Katya nous raccompagnèrent jusqu'à l'ascenseur, agitant la main quand les portes se refermèrent sur nous. L'ascenseur s'ébranla. Une de ces cabines automatiques qui s'arrêtent à tous les étages présélectionnés. J'avais appuyé sur le bouton du rez-de-chaussée, elle s'arrêta au rez-de-chaussée.

Poliment, je laissai Mélanie sortir la première.

– Je vous en prie... Ah, mais, j'y pense, ajoutai-je aussitôt, pardonnez-moi... J'ai oublié ma chevalière sur le lavabo de la salle de bains de Roderick. Je cours la chercher. Attendez-moi là, j'en ai pour quelques secondes.

Les portes se refermaient déjà sans lui laisser le temps de réagir. J'appuyai sur les boutons deux et six. Je sortis de l'ascenseur au deuxième étage. M'étant assuré que la petite flèche rouge poursuivait sa route vers le sixième de Roderick, je franchis prestement la porte de l'escalier de service, de l'autre côté du palier.

Les marches de ciment brut et de fer descendaient en tournant autour d'une cage étroite et débouchaient sur un espace clos, rempli de paniers de lessive, de chaudières et de rangées de poubelles. Je débouchai à l'arrière du bâtiment dans une petite rue, je tournai à gauche, fis tout le tour du pâté de maisons à bonne allure et, pour finir, plus lentement et plus discrètement, je revins, en marchant dans l'ombre, vers l'immeuble de Roderick.

Il y avait là quatre hommes qui attendaient. Deux en face de la porte d'entrée. Deux autres qui battaient patiemment la semelle à côté de ma voiture de location. Tous étaient armés d'objets qui luisaient sous les réverbères et qui ne m'étaient que trop familiers.

Mélanie sortit de l'immeuble et traversa aussitôt la chaussée pour aller parler aux deux premiers. La robe verte lui collait au corps et devenait plus transparente que diaphane dans cette lumière. Elle conféra avec les hommes d'un air agité.

Tous trois levèrent soudain la tête et je suivis leur regard. Debout sur leur balcon, Roderick et Katya criaient quelque chose. J'étais trop éloigné pour distinguer les mots mais il n'était pas difficile d'en deviner la teneur. Le gibier s'était échappé, ils n'étaient pas contents.

Mélanie et ses deux comparses se mirent en marche jusqu'à ma voiture où ils rejoignirent les deux autres. Tous les cinq formèrent alors un groupe où l'harmonie ne régnait pas et, finalement, Mélanie retourna seule sur ses pas et disparut dans la maison.

Je poussai un grand soupir d'ironie désabusée. Roderick n'était pas un assassin. Ce n'était qu'un journaliste. Les quatre acolytes étaient venus armés d'appareils photo. Pas de revolvers.

Ils ne voulaient pas ma mort, rien que ma photo.

Rien que ma photo à la porte d'un immeuble, la nuit, seul avec une belle fille vêtue d'une robe qui ne cachait rien de ses charmes.

Je réfléchis en contemplant les quatre photographes à côté de ma voiture et, concluant que je n'avais pas une chance, je m'éloignai en douce.

Rentré en taxi à l'Iguana Rock, je téléphonai à Roderick. Il avait un ton penaud.

— Espèce d'enfant de salaud ! criai-je.

— Oui.

— Vous enregistrez ma communication ?

Une pause. Suivie d'un soupir.

— Oui.

— La franchise vient un peu tard, mon vieux.

— Link...

— Laissons tomber. Dites-moi simplement pourquoi.

— Mon journal...

— Non, coupai-je. Un journal ne monte pas des coups pareils. Il s'agissait d'une initiative privée.

Une pause plus prolongée.

— Bon, je vous dois bien la vérité. Nous avons

fait ça pour Clifford Wenkins. Cet avorton a une peur bleue de ses patrons de la Worldic et il nous a suppliés de vous coincer en échange des services qu'il a pu nous rendre à l'occasion... Il nous a dit qu'il perdrait son boulot s'il n'obtenait pas de vous que vous vous prêtiez à une séance de pose avec une fille pour faire vendre leurs places à vingt rands, et que vous l'aviez envoyé sur les roses quand il vous l'avait demandé. Mélanie est notre mannequin-vedette, il a réquisitionné ses services pour la bonne cause.

— Clifford Wenkins vendrait son âme pour un coup de pub.

— Je suis navré, Link...

— Pas tant qu'il va l'être, lui, annonçai-je.

— Je lui avais promis de ne rien vous dire...

— Allez vous faire voir tous les deux ! dis-je avant de raccrocher.

13

Le lendemain matin, je fis envoyer quelqu'un de l'Iguana, avec les clés de ma voiture de location, me chercher celle-ci devant chez Roderick, puis je mis dans un sac de voyage le peu de choses dont j'aurais besoin pour la visite du parc Kruger, après quoi j'allai à l'hôtel d'Evan et de Conrad.

Le metteur en scène était en train de diriger l'opération de chargement de leur break comme si c'était la séquence clé d'une superproduction, interprétée par un Conrad particulièrement inspiré. Les caisses, les valises, les éléments divers de matériel de tournage dans leurs sacs noirs à fermeture Éclair jonchaient le sol sur un rayon de dix mètres.

– Par pitié, mon petit, lança Conrad quand je m'approchai, trouve-moi de la glace.

– De la glace ? demandai-je, un peu distraitement.

– Oui, de la glace, répéta-t-il en montrant une boîte en matière plastique jaune, d'environ soixante centimètres sur trente. Pour la pellicule.

– Et la bière, alors ?

Il me jeta un coup d'œil affligé et sans réplique.

– La bière est dans la glacière rouge, mon petit.

La glacière rouge avait eu la priorité; soigneusement garnie et fermée, elle était déjà chargée à bord du véhicule. J'entrai en souriant dans l'hôtel pour m'acquitter de ma mission et revins chargé d'un grand sac en plastique plein de glace. L'ayant placé dans le fond de la glacière jaune, Conrad disposa soigneusement par-dessus ses boîtes de pellicule vierge. La glacière jaune rejoignit ensuite la glacière rouge et Evan remarqua qu'à ce train-là, nous n'atteindrions pas le parc Kruger avant la tombée de la nuit.

Vers onze heures du matin, le break était bourré à craquer, mais le sol encore jonché de ce fourbi extraordinaire de câbles, de boîtes, de pieds de caméra et autres accessoires qu'emportent partout avec eux les opérateurs de prise de vues.

Evan gesticulait comme si tous ces objets allaient rentrer dans le rang sur un coup de baguette magique. Perplexe, Conrad tiraillait sa moustache. J'ouvris le coffre de ma berline, y enfournai le tout sans cérémonie et lui dis qu'il n'aurait qu'à faire le tri à l'arrivée.

Il fallut ensuite aller nous désaltérer et ce n'est que vers midi que nous partîmes enfin. En suivant une route nord-est durant plusieurs heures, nous descendîmes du haut plateau de Johannesburg jusqu'à une faible altitude au-dessus du niveau de la mer. On sentait l'air se réchauffer chaque fois qu'on perdait de la hauteur, phénomène qui provoqua encore trois ou quatre arrêts pour reprendre des forces. Conrad faisait concurrence aux Bantous sur le plan de la contenance en rations liquides.

Il était cinq heures quand nous arrivâmes au poste de contrôle de Numbi, le plus proche pour pénétrer dans le parc. Celui-ci s'étendait sur plus de trois cents kilomètres vers le nord et quatre-vingts à l'est sans rien pour empêcher les animaux de s'échapper, sinon leur propre envie d'y rester. Le poste de Numbi se présentait comme une simple barrière pivotante, gardée par deux Africains noirs, en uniforme kaki, dans un petit bureau. Evan exhiba le laissez-passer des deux voitures ainsi que les certificats de réservation d'hébergement dans les campements. Après force coups de tampon et sourires, la barrière s'ouvrit devant nous.

Il ne fallait pas se fier aux bougainvillées écarlates et violacées qui fleurissaient près de l'entrée. Le parc était sec comme de l'amadou, hérissé et brunâtre après des mois de soleil sans pluie. La route étroite s'enfonçait devant nous à travers une brousse grillée où seule sa surface goudronnée témoignait d'une intervention humaine.

– Des zèbres ! cria Evan en baissant sa vitre et en se penchant.

J'aperçus leur troupeau poussiéreux qui se tenait patiemment debout sous des arbres aux branches dénudées, en balançant lentement la queue et se fondant étrangement dans les ombrages striés.

Conrad était, par bonheur, muni d'un plan. Nous nous dirigions vers le campement le plus proche, Pretoriuskop; mais plus nous nous en approchions, plus les routes s'entrecroisaient, le plus souvent des pistes de terre poussiéreuses qui bifurquaient vers de vastes secteurs vraisemblablement habités par les lions, les rhinocéros, les buffles et les crocodiles.

Sans oublier les éléphants.

Sur une superficie de deux ou trois dizaines d'hectares, ceinte d'une forte clôture métallique, le campement ne contenait, en fait, rien qui ressemblât à une tente. Cela évoquait plutôt un village de poupées à l'indigène : des grappes de cases rondes, aux murs de brique, aux toits de paille, qui faisaient penser à des tambours roses coiffés de chapeaux à large bord.

– Les *rondavels,* énonça Evan de son ton le plus dogmatique, avec un grand geste de la main.

Après s'être présenté au bureau d'accueil, il remonta en voiture et nous recherchâmes les cases portant les numéros qui nous étaient attribués. Elles étaient au nombre de trois : une chacun. À l'intérieur, deux lits, une table, deux chaises, un placard, une salle de bains et l'air conditionné. Tout le confort moderne au cœur de la jungle.

Evan vint frapper à ma porte. Il fallait que je me dépêche, nous partions faire un tour en voiture. Le campement fermait ses portes pour la nuit à dix-huit heures trente, ce qui nous laissait quarante minutes pour aller voir les babouins.

— Cela prendrait trop longtemps de décharger le break, ajouta-t-il. Nous irons donc tous dans votre voiture.

Pendant que je conduisais, ils regardaient sans relâche par les fenêtres. Quelques babouins se grattaient au loin, dans la lumière du soleil couchant, sur un monticule rocheux; un troupeau d'impalas mâchonnaient des arbustes où ne restait pratiquement pas une feuille; mais on ne trouvait pas trace d'éléphants.

— Il vaudrait mieux faire demi-tour avant de nous égarer, suggérai-je, ce qui ne nous empêcha pas de franchir les portes du campement quelques secondes seulement avant leur fermeture.

— Que se passe-t-il si l'on arrive en retard? demandai-je.

— On est obligé de passer la nuit dehors, répliqua Evan, sûr de son fait. Une fois les portes fermées, elles sont fermées.

Comme d'habitude, il donnait l'impression d'avoir la science infuse, mais il ne tarda pas à se trahir en montrant un fascicule d'information qu'on lui avait remis à l'entrée. Cette brochure recommandait, entre autres choses, de ne pas baisser les vitres pour se pencher et crier « des zèbres », car les bêtes n'aimaient pas ça. Apparemment, les animaux sauvages estimaient qu'il n'y avait rien à craindre des automobiles et les laissaient donc tranquilles, mais ils avaient tendance à mordre dans tout ce que les humains laissaient dépasser.

Conrad avait été contraint de décharger tout

le break pour pouvoir sortir la glacière rouge, ce qui risquait de l'amener à inverser ses priorités. Assis autour d'une table à proximité de nos cases, nous savourâmes nos rafraîchissements dans la tiédeur du soir, tout en regardant la nuit s'infiltrer entre les *rondavels*. Malgré la présence d'Evan, c'était un moment assez paisible pour dénouer les nerfs les plus tendus... et pour bercer d'un sentiment de sécurité l'esprit le plus vigilant.

Le lendemain, jeudi, nous partîmes à l'aube et prîmes le petit déjeuner dans le camp suivant, Skukuza, où nous devions passer la nuit.

Plus vaste, Skukuza s'enorgueillissait de posséder des *rondavels* de classe affaires, sur lesquels la production d'Evan avait naturellement mis la main. Conrad et Evan s'étaient aussi assuré la collaboration, pour la journée entière, d'un garde du parc national, ce qui aurait été encore plus appréciable s'il ne s'était pas agi d'un Afrikaner qui parlait mal l'anglais. C'était un homme robuste, aux mouvements lents, taciturne et peu émotif, l'antithèse exacte de l'exaltation allégorique d'Evan.

Ce dernier le bombardait de questions et il lui fallait subir chaque fois le silence qui précédait la réponse : sans doute Haagner commençait-il simplement par traduire la question en afrikaans dans sa tête, avant de se formuler en lui-même la réponse et de la traduire en anglais; mais Evan avait été d'emblée exaspéré par ces temps morts. Haagner traitait Evan avec détachement et refusait de se laisser bousculer, ce qui procurait à Conrad la satisfaction (convenablement dissimulée) de l'opprimé qui voit son maître glisser sur une peau de banane.

Nous prîmes place dans la Range Rover d'Haagner, équipés de l'Arriflex, d'un magnétophone, d'une demi-douzaine de caméras plus petites, et de la glacière rouge garnie de pellicule, de bière, de fruits et de sandwichs enveloppés dans des sacs en plastique. Evan s'était muni de blocs à dessin, de cartes et de carnets pour prendre des notes, et il déclara à diverses reprises que la production aurait dû lui adjoindre une secrétaire. Conrad murmura que nous pouvions au moins nous féliciter de ce qu'on ne nous ait pas adjoint Drix Goddart, mais, si j'en jugeais par le regard peu amène que me lança Evan, il n'était pas forcément de cet avis.

– *Olifant,* signala Haagner, le doigt tendu.

On lui avait répété trois fois le but de l'expédition. Il arrêta la Range Rover.

– Là, dans la vallée.

Nous regardions de tous nos yeux. Des tas d'arbres, un peu de verdure, un cours d'eau qui serpentait.

– Là, monsieur.

Nos yeux peu exercés les découvrirent enfin : trois masses sombres amenuisées par la distance, des oreilles qui battaient l'air avec nonchalance derrière un arbuste.

– Trop loin, déclara Evan, dédaigneux. Il faut que nous nous rapprochions.

– Pas ici, rétorqua Haagner. Ils sont de l'autre côté du fleuve. La Sabie River. En bantou, *Sabie* veut dire « Peur ».

Je le regardai avec suspicion mais il ne cherchait pas le moins du monde à provoquer Evan, il se contentait de le renseigner. Lent et paisible, le cours d'eau coulait dans le creux de la vallée, aussi peu menaçant d'aspect que ma chère Tamise.

Le metteur en scène n'avait pas un coup d'œil pour les diverses espèces du genre antilope que nous signalait Haagner, ni pour les geais bleus, les urubus, les vervets, toutes ces *pêtes zaufaches,* et encore moins pour les bandes de doux impalas. Seuls retenaient son attention les animaux qui possédaient à ses yeux un potentiel de violence :

hyènes, phacochères, lions éventuels et rares gué-
pards.

Sans oublier, naturellement, les *olifants*. Evan
avait fait sien le mot afrikaans et s'en gargarisait
comme s'il l'avait inventé. Des excréments d'*olifants* sur la piste (déposés de frais, dit Haagner)
provoquèrent chez lui une excitation proche de
l'orgasme. Il exigea que nous nous arrêtions pour
faire marche arrière afin de mieux les voir, et
que Conrad pointe sa caméra sous l'entrebâille-
ment de la vitre afin d'impressionner cinquante
mètres de pellicule sous divers angles, à différentes
focales.

Tout en déplaçant patiemment la Range Rover
pour chaque plan, Haagner pensait visiblement,
à la vue de ces singeries, qu'Evan était un peu
dérangé, et moi je ravalais mes rires au point
d'en avoir la gorge douloureuse. Si l'éléphant était
obligeamment revenu, le metteur en scène l'aurait
assurément prié de déféquer derechef pour la
séquence un, prise deux.

S'arrachant à regret à son tas de crottes, Evan
réfléchissait à un moyen d'en faire un symbole
vraiment significatif. Conrad suggéra qu'une bière
serait la bienvenue, mais Haagner pointa le doigt
droit devant nous en annonçant « Onder-Sabie »,
ce qui désignait, comme nous ne tardâmes pas à
l'apprendre, un autre campement semblable aux
précédents.

– *Olifants* dans la rivière Saliji, dit Haagner
après avoir échangé quelques mots avec ses collègues. Si on y va tout de suite, peut-être vous les
verrez.

Nous arrachant à la table ombragée et à nos
verres à moitié pleins, Evan repartit à l'attaque
dans la chaleur croissante de la mi-journée.
Autour de nous, des êtres plus raisonnables s'éven-
taient en songeant à la sieste; mais pour le
cinéaste, les *olifants* passaient avant la raison.

La Range Rover était une fournaise.

– C'est chaud aujourd'hui, remarqua Haagner. Plus chaud demain. L'été arrive. Bientôt nous avons la pluie, le parc reverdit.

– Ah, non ! s'exclama Evan, inquiet. Il faut que la brousse soit grillée, comme elle l'est maintenant. Une terre inhospitalière, aride, affamée, prédatrice, agressive et cruelle. En tout cas, pas de douce luxuriance.

Haagner n'avait pas saisi le dixième de ce discours. Après une pause prolongée, il répéta les mauvaises nouvelles :

– Dans un mois, après les premières pluies, le parc est tout vert. Alors, beaucoup d'eau. Maintenant, pas beaucoup. Petits rivières sont secs. Nous pouvons trouver *olifants* près grands fleuves. Dans Saliji.

Au bout d'une dizaine de kilomètres, il s'arrêta auprès d'une construction de bois, vaste abri contre le soleil bâti sur une hauteur qui commandait la vallée. En bas, le Saliji coulait droit devant nous et les *olifants* s'étaient mis en frais pour les beaux yeux d'Evan. En famille nombreuse, ils jouaient dans l'eau en s'aspergeant avec leur trompe et en s'occupant de leurs petits.

C'était un emplacement officiel de pique-nique, aménagé tout exprès dans un secteur protégé; nous eûmes donc tous le droit de sortir de la voiture. Je m'étirai voluptueusement avant de puiser dans la glacière rouge une source de rafraîchissement. Conrad tenait sa caméra d'une main, une bière de l'autre et Evan brandissait son enthousiasme comme un fouet au-dessus de nos têtes.

Par trente-deux degrés à l'ombre, nous nous installâmes, Haagner et moi, devant l'une des petites tables disposées çà et là, pour manger quelques-uns des sandwichs préparés. Le guide avait déconseillé à Evan de trop s'éloigner de notre abri, sous peine de représenter une invite aux yeux de quelque lion affamé; mais le réalisa-

198

teur était, naturellement, persuadé qu'il n'en rencontrerait pas et il avait raison. Entraînant Conrad et son Arriflex, il s'enfonça dans la brousse sur une cinquantaine de mètres tandis que Haagner le rappelait à grands cris, tout en m'expliquant qu'il perdrait son emploi s'il arrivait malheur à Evan.

Conrad ne tarda pas à revenir, en épongeant sur son front des gouttes de sueur qui n'étaient pas toutes dues à la chaleur, et nous informa qu'il y avait « quelque chose » qu'on entendait gronder là en bas derrière les rochers.

– Il y a douze cents lions dans le parc, dit Haagner. Quand ils ont faim, ils tuent. À eux tout seuls, les lions tuent ici trente mille proies par an.

– Bon Dieu ! s'exclama Conrad pour qui l'entreprise d'Evan commençait visiblement à perdre de son charme.

Le metteur en scène finit par reparaître indemne, mais Haagner posa sur lui un regard réprobateur.

– Davantage d'*olifants* dans le nord, dit-il. Pour l'*olifant,* il faut aller au nord.

Et sortir de son secteur, signifiait le ton de sa voix.

Hochant la tête avec vigueur, Evan le rassura :

– Demain. Nous filerons vers le nord dès demain, et demain soir nous passerons la nuit dans un campement nommé Satara.

Tranquillisé, Haagner reprit le volant pour nous ramener à petite vitesse vers Skukuza, en nous signalant consciencieusement les animaux tout au long du chemin.

– Pourrait-on traverser le parc à cheval ? demandai-je.

Il secoua la tête d'un air catégorique.

– Très dangereux. Plus dangereux qu'à pied, et à pied c'est risqué. Si votre voiture tombe en panne, ajouta-t-il en se tournant vers Evan, il faut attendre une autre voiture et faire prévenir les gardes du campement le plus proche. Pas s'éloigner de votre voiture. Pas aller à pied dans le parc. Surtout pas aller à pied la nuit. Rester dans voiture toute la nuit.

Evan écoutait le sermon en affichant son dédain de ces bons conseils. Montrant une des pistes latérales que nous avions pu remarquer au passage, fermées par une pancarte « ACCÈS INTERDIT », il demanda où elles menaient.

— Certaines conduisent aux postes des gardes bantous, répondit Haagner après avoir marqué la pause rituelle de sa traduction mentale. D'autres, à des points d'eau. Il y en a aussi qui sont des pare-feu. Chemins réservés aux gardes. Pas chemins pour visiteurs. Il ne faut pas y aller. Ce n'est pas autorisé, précisa-t-il en regardant encore Evan et en voyant bien que celui-ci n'obéirait pas forcément.

— Et pourquoi ?

— Le parc fait plus de vingt mille kilomètres carrés... Les visiteurs risquent de se perdre.

— Nous avons une carte.

— Les pistes de service ne sont pas sur la carte, répliqua Haagner, buté.

Insoumis, Evan avala un sandwich et entreprit de baisser la vitre de la portière pour jeter le sac en plastique au-dehors.

— Il ne faut pas faire ça, dit Haagner assez brutalement pour arrêter son geste.

— Pourquoi ?

— Les bêtes les mangent et elles s'étouffent. Il ne faut pas jeter de détritus. Ça peut tuer les animaux.

— Bon, ça va, conclut Evan d'un ton désagréable en me tendant le plastique roulé en boule pour que je le remette dans la glacière rouge.

Celle-ci étant en ordre et fermée, je fourrai le sac dans ma poche. Histoire de jouer jusqu'au bout les enquiquineurs, Evan jeta quand même quelque chose, à savoir la moitié du pain de son dernier sandwich.

– Il ne faut pas donner à manger aux animaux, lança Haagner machinalement.

– Pourquoi ?

Le metteur en scène affichait son air belliqueux.

– C'est imprudent de montrer aux animaux que les voitures contiennent de la nourriture.

Cet argument eut le don de le faire taire. En réponse au clin d'œil ironique de Conrad, j'imposai à mes traits l'expression la plus impassible qu'on puisse se composer alors qu'on meurt de rire intérieurement.

À cause d'un *olifant* venu nous agiter ses oreilles sous l'objectif, nous ne pûmes rallier Skukuza avant la fermeture des portes. Indifférent au coucher du soleil, Evan voyait partout des images allégoriques et faisait gaspiller à Conrad des kilomètres de pellicule, en filmant à travers les vitres. Il voulait que le chef opérateur installât le pied de la caméra sur la route, afin d'obtenir des plans plus stables qu'à l'épaule, mais même lui se laissa intimider, cette fois, par le ton alarmé de Haagner.

– *Olifant* est le plus dangereux de tous les animaux, déclara celui-ci avec une conviction persuasive.

Conrad, de son côté, avec la même conviction, protesta que pour rien au monde il n'abandonnerait la sécurité de la Range Rover. Haagner s'opposait même à ce qu'on ouvrît les fenêtres et voulait repartir tout de suite. Un *olifant* qui agite ainsi les oreilles exprime apparemment sa contrariété ; étant donné qu'il pèse dans les sept tonnes et qu'il est capable de charger l'adversaire à soixante-quinze kilomètres à l'heure, il valait mieux ne pas traîner dans le coin.

Notre tyran ne croyait aucun animal assez impudent pour oser s'attaquer à des êtres humains aussi importants qu'Evan Pentelow, metteur en scène de cinéma, et Edward Lincoln, acteur. Il persuada Conrad de tourner tandis que Haagner laissait le moteur en marche, gardant le pied sur la pédale d'embrayage. À la seconde où l'éléphant se décida à faire un pas dans notre direction, nous démarrâmes avec une secousse qui projeta au plancher Conrad et sa caméra.

Je l'aidai à se relever pendant qu'Evan adressait des reproches à Haagner. Sa patience à bout, le garde arrêta la voiture sur une secousse tout aussi brusque, et serra le frein à main.

— Très bien, dit-il. On attend.

L'éléphant s'avança sur la route, à une centaine de mètres derrière nous. Ses grandes oreilles battaient comme des étendards dans le vent.

Conrad lui jeta un coup d'œil.

— Roulez, je vous en prie, mon petit, dit-il d'un ton un peu anxieux.

Haagner pinçait les lèvres. L'éléphant avait décidé de nous suivre. Il accélérait son allure.

Il fallut encore à Evan un bon nombre de secondes avant de craquer, un bon nombre de secondes en trop à mon goût.

— Pour l'amour du ciel, où est l'Arriflex ?... demanda-t-il à Conrad lorsqu'il parut enfin s'aviser qu'il pouvait exister un réel danger. Qu'attendez-vous pour repartir ? lança-t-il alors à Haagner. Vous ne voyez pas que cet animal est en train de charger ?

Et sa tête est garnie de défenses, remarquai-je.

Haagner lui-même décida que cela suffisait. D'un geste preste, il desserra le frein à main, enclencha la première et l'éléphant prit en pleine face une tonne de poussière.

— Et la prochaine voiture qui passera ? demandai-je. Elle va tomber droit sur lui ?

Haagner secoua la tête.

— Il ne viendra plus de voitures par ici aujourd'hui. Il est trop tard. Tout le monde est maintenant à proximité des campements. Et cet *olifant*, il va retourner dans la brousse. Il ne va pas rester sur la route.

Conrad regarda sa montre.

— Il nous faut combien de temps pour regagner Skukuza ?

— À condition de ne plus s'arrêter, répliqua Haagner sans aménité, une demi-heure environ.

— Mais il est déjà dix-huit heures quinze !

En guise de réponse, Haagner se contenta d'un hochement de tête. Evan avait sombré dans le silence : une expression de satisfaction paisible s'installa sur le visage de l'Afrikaner. Elle ne le quitta plus pendant le reste du voyage, d'abord dans le crépuscule qui s'étendait rapidement puis dans la lueur réverbérée des phares. Avant d'arriver à Skukuza, il bifurqua soudain sur l'une des pistes latérales à l'accès interdit; après avoir parcouru un kilomètre environ, nous pénétrâmes dans un village composé de maisonnettes modernes, aux petits jardins fleuris, aux rues éclairées par des lampadaires.

Nous ouvrions de grands yeux. Une véritable banlieue nichée, toute verte, en pleine sécheresse du veldt.

— C'est le village des gardes, expliqua Haagner. Ma maison se trouve là-bas, la troisième de cette rue. Tous les Blancs qui travaillent dans le campement habitent ici. Les gardes et les employés bantous ont leurs villages à eux dans le parc.

— Mais les lions ? dis-je. Un village ainsi isolé est-il à l'abri ?

— Il n'est pas isolé, répliqua-t-il en souriant.

Parvenue au bout des rangées de maisons, la Range Rover franchit une cinquantaine de mètres de route non éclairée et aboutit tout droit dans les arrières du campement de Skukuza.

— Mais c'est vrai, reprit-il, ce n'est pas tout à fait à l'abri. Il ne faut pas se promener loin des maisons la nuit. Normalement, les lions ne s'approchent pas des jardins... et ceux-ci sont entourés de palissades... mais il y a un jeune Bantou qui s'est fait attraper par un lion, un soir, sur ce petit bout de route entre notre village et le campement. Je le connaissais bien. On lui avait dit de ne pas aller à pied... C'est vraiment triste.

– Est-ce qu'il arrive souvent... que des gens... se fassent attraper par des lions ? demandai-je tandis qu'il arrêtait la voiture près de nos *rondavels* et que nous mettions pied à terre avec les caméras et la glacière rouge.

– Non. Quelquefois. Pas souvent. Les gens qui travaillent dans le parc; jamais les visiteurs. On ne risque rien dans les voitures. (Il jeta à Evan un dernier coup d'œil de mise en garde.) Ne sortez pas de votre voiture. Sinon, vous courez des risques.

Avant le dîner au restaurant du campement, je demandai une communication téléphonique pour l'Angleterre. Deux heures d'attente, me dit-on, mais dès vingt et une heures je parlais avec Charlie.

Tout allait bien, les enfants étaient de vraies petites terreurs, et elle était allée voir Nerissa.

– J'ai passé toute la journée d'hier avec elle... Nous sommes restées assises sans rien faire la plupart du temps, parce qu'elle se sentait trop fatiguée, mais elle n'avait pas l'air d'avoir envie que je parte. Je lui ai posé les questions que tu voulais, pas toutes en même temps, mais glissées dans le courant de la conversation...

– Qu'a-t-elle dit ?

– Eh bien... Tu avais raison sur certains points. C'est vrai qu'elle avait mis Danilo au courant de sa maladie. Il paraît qu'elle ne savait pas elle-même que l'issue en était fatale lorsqu'elle lui en a parlé, mais elle ne pense pas qu'il y ait fait très attention, parce qu'il s'est contenté de remarquer qu'il croyait cette maladie réservée aux jeunes.

S'il connaissait ce détail, ai-je pensé, il en savait sûrement beaucoup plus long.

– Il a passé une dizaine de jours chez elle et ils sont devenus de vrais amis. Ce sont les termes qu'elle a employés. Elle lui a donc annoncé, avant qu'il ne retourne en Amérique, qu'elle allait lui laisser les chevaux et aussi tout l'argent qui resterait après déduction des divers legs.

– Un veinard, ce Danilo.

– Oui… Alors, il est revenu la voir voici quelques semaines, vers la fin juillet ou début août, pendant que tu étais en Espagne, en tout cas. Entre-temps, elle avait appris que sa maladie était incurable, mais elle n'en a pas soufflé mot à Danilo. Elle lui a cependant montré son testament, car cela avait l'air de l'intéresser. Il s'est montré adorable, paraît-il, après l'avoir lu, protestant qu'il espérait bien attendre son héritage une bonne vingtaine d'années.

– Quel hypocrite !

– Je me demande, répliqua Charlie. Même si tu as vu juste pour beaucoup de choses, il y a un rouage qui manque dans ta machinerie.

– Lequel ?

– Ça ne peut pas être Danilo qui fait perdre les chevaux. Impossible.

– Mais si, c'est sûrement lui. Pourquoi serait-ce impossible ?

– Quand Nerissa lui a dit qu'elle s'inquiétait de leur comportement en course et qu'elle aimerait bien élucider ce qui clochait, c'est Danilo lui-même qui a eu l'idée de t'envoyer aux renseignements.

– Invraisemblable ! m'exclamai-je.

– Je t'assure que si. Elle était catégorique. C'est une suggestion de Danilo.

– Bon sang…

– Il n'aurait pas suggéré d'envoyer quelqu'un mener l'enquête s'il était lui-même responsable du sabotage.

– Non… sans doute pas.

– Tu as l'air abattu.

– Je n'ai pas d'autre explication à fournir à Nerissa.

– Ne te tourmente pas. N'importe comment, tu ne serais pas allé lui raconter que son neveu était mal intentionné.

– Ça, c'est vrai.

– Et ce n'était pas difficile pour Danilo d'avoir accès à son testament. Elle le laisse traîner en permanence sur la petite table en marqueterie, dans le coin du salon. Elle me l'a montré tout de suite, dès que j'y ai fait allusion, parce qu'elle y tient beaucoup. J'ai vu quels sont les « petits souvenirs », comme elle dit, qu'elle veut nous léguer, si cela t'intéresse...

– Quoi donc ? demandai-je distraitement, préoccupé par Danilo.

– Elle te laisse sa part de quelque chose qui s'appelle Rojedda, et à moi un pendentif en diamant et des boucles d'oreilles. Elle me les a montrées, elles sont absolument magnifiques et je lui ai dit que c'était beaucoup trop, mais elle me les a fait essayer pour voir comment elles m'allaient. Elle avait l'air tellement ravie, heureuse... Elle est incroyable, non ? J'ai du mal à supporter... oh... oh, mon Dieu...

– Ne pleure pas, ma chérie.

Le téléphone me transmit des bruits de reniflement.

– Je ne peux pas m'en empêcher. Son état a déjà beaucoup empiré depuis la dernière fois que nous lui avions rendu visite ; elle se sent très mal. Je crois que l'un des ganglions enflés, ou je ne sais quoi, appuie sur des organes dans sa poitrine...

– Nous irons la voir dès mon retour.

– Oui, dit Charlie en ravalant ses larmes. Mon Dieu, ce que tu peux me manquer !

– Toi aussi, tu me manques. Plus qu'une semaine à passer. Je serai à la maison d'ici huit jours, et nous emmènerons les enfants en Cornouailles.

Après le coup de téléphone, je sortis faire à pas lents le tour de nos *rondavels* et du coin d'herbe et de verdure qui se trouvait derrière. La nuit africaine était très silencieuse. Pas de grondement de la circulation d'une ville proche ou lointaine, rien que le ronflement discret et régulier du générateur approvisionnant Skukuza en électricité, et le concert énergique des grillons.

Nerissa m'avait fourni mes réponses.

J'en voyais la signification, sans vouloir y croire.

Une partie de quitte ou double. Ni plus ni moins.

Et ma propre vie était en jeu.

Je retournai au téléphone passer un autre appel. Le domestique, chez Van Huren, me dit qu'il allait voir, puis j'eus Quentin au bout du fil. Je savais que j'allais lui poser une drôle de question, dis-je, et je lui en expliquerais la motivation dès que je le verrais, mais pouvait-il m'indiquer l'importance des parts que détenait Nerissa dans la mine de Rojedda ?

— L'équivalent des miennes, répondit-il sans hésiter. Elle possède tous les avoirs de mon frère, transmis par Portia.

Saisi, je le remerciai.

— On se voit à la première, me dit-il. Nous nous en faisons une fête d'avance.

Je mis des heures à m'endormir. Pourtant, où pouvais-je me sentir mieux à l'abri qu'à l'intérieur d'un campement gardé, avec Evan et Conrad qui ronflaient à qui mieux mieux dans les cases voisines ?

Mais, à mon réveil, je n'étais plus dans mon lit.

J'étais assis dans l'automobile louée à Johannesburg.

La voiture était baignée dans le petit jour qui se levait sur le parc national Kruger. Des arbres, des broussailles, de l'herbe sèche. Pas un *rondavel* en vue.

Des restes d'effluves d'éther émoussaient mes sens, mais un fait était bien clair et s'imposait à moi.

J'avais un bras passé dans le volant, et les poignets attachés ensemble par une paire de menottes.

14

Il ne pouvait s'agir que d'une très mauvaise farce. Evan qui se livrait à des facéties odieuses.

Il ne pouvait s'agir que d'une idée monstrueuse de coup publicitaire venue à l'esprit tordu de Clifford Wenkins.

Il ne pouvait pas s'agir de quelque chose de sérieux.

Cependant, j'avais tout au fond de moi la certitude mortelle et glacée que, cette fois, je ne verrais pas surgir une assistante nommée Jill pour me délivrer.

Cette fois, c'était la mort qui m'attendait, qui me regardait en face, qui déjà contractait mes épaules et descendait le long de mes bras.

L'enjeu que voulait s'adjuger Danilo à tout prix, c'était la mine d'or.

Je me sentais mal, j'avais des nausées. On n'y était pas allé de main morte avec l'anesthésique qu'on m'avait administré, sans doute en bien plus grande quantité qu'il n'en était besoin.

Pendant une éternité, je restai incapable de pousser plus loin ma réflexion. Les vertiges persistaient à me submerger par vagues glauques. Mon état de malaise physique interdisait tout exercice mental, absorbait toute mon attention. Des accès de semi-conscience me rappelaient chaque fois ma situation et me replongeaient dans l'accablement.

La première observation objective qui perça ce brouillard, c'est que je m'étais couché en caleçon et que je me retrouvais habillé. Avec le pantalon et la chemise que je portais la veille. Ainsi que les chaussettes et mes mocassins.

La découverte suivante, qui cherchait depuis un certain temps déjà à pénétrer ma conscience mais que celle-ci rejetait, c'était que la ceinture de sécurité était attachée. En travers de ma poitrine et de mon ventre, tout comme dans la *Special*.

Elle n'était pas très serrée, mais la fermeture était hors de ma portée.

J'essayai de l'atteindre. La première tentative pour accomplir divers gestes impossibles. La première frustration d'une longue série.

J'essayai d'extraire mes mains des menottes. Mais c'était à nouveau le modèle réglementaire de la police britannique, conçu précisément pour empêcher qu'un prisonnier puisse les faire glisser de ses mains. À nouveau, mes os étaient trop gros.

J'essayai de toutes mes forces de briser le volant, mais, bien que celui-ci eût l'air d'une camelote, comparé à celui de la *Special,* je n'y parvins pas.

Je pouvais bouger un tout petit peu plus que durant le tournage du film. Les sangles étaient moins tendues et j'avais plus de place pour bouger mes jambes. En dehors de cela, je n'y gagnais pas grand-chose.

Je commençais à me demander combien de temps s'écoulerait avant que quelqu'un parte à ma recherche.

Dès qu'ils découvriraient ma disparition, Evan et Conrad allaient sûrement sonner le branle-bas. Haagner avertirait tous les gardes du parc. Quelqu'un allait arriver très vite jusqu'à moi. Sans aucun doute. Et me délivrerait.

La chaleur du jour montait. Dans un ciel sans nuage, le soleil dardait ses rayons à travers la vitre à ma droite. La voiture pointait donc face au nord… et cette idée m'arracha un gémissement, car dans l'hémisphère Sud le soleil se trouve au nord à midi et j'aurais droit à sa brûlure et son éclat aveuglant en plein visage.

Peut-être quelqu'un viendrait-il avant midi ?

Peut-être.

La phase la plus aiguë de mes nausées passa au bout d'une heure ou deux tout en laissant persister pendant beaucoup plus longtemps les vagues de malaise. Néanmoins, je retrouvai mes esprits et cessai d'éprouver le sentiment que, même si la mort était déjà perchée sur mon épaule, je me sentais trop mal pour m'en soucier.

Première pensée lucide : Danilo m'avait enfermé dans cette voiture afin que j'y meure et qu'il hérite de la moitié de la mine d'or Van Huren détenue par Nerissa.

Nerissa me léguait ses parts de Rojedda sur son testament que Danilo avait lu.

Danilo, lui, héritait du reliquat. Si je mourais avant Nerissa, le legs serait annulé et Rojedda tomberait dans le reliquat. Si je vivais, non seulement il lui en coûterait la mine, mais des milliers de livres.

En effet, la loi en vigueur, et qui serait encore en vigueur quand Nerissa décéderait, voulait que les droits de succession sur l'ensemble de ses biens fussent prélevés sur le reliquat. Ce serait donc Danilo qui acquitterait ces droits sur l'héritage que je recevrais de Nerissa.

Si seulement, pensais-je de façon oiseuse, elle m'avait averti de ce qu'elle ruminait ! J'aurais pu lui expliquer pourquoi il ne fallait pas le faire. Peut-être ne se rendait-elle pas compte de la valeur énorme que représentait sa part de Rojedda : elle-même n'en avait hérité que tout récemment. Peut-être n'avait-elle pas compris, d'autre part, comment fonctionnait le système des droits de succession. Elle qui avait été si ravie de ses retrouvailles avec son neveu, elle ne pouvait

pas avoir souhaité pour moi une prospérité déme-
surée, aux dépens de celle de Danilo.

N'importe quel comptable l'aurait éclairée, mais
c'est en général un notaire qui rédige un testament,
pas un comptable, et un notaire n'est pas un
conseiller financier.

Avec sa tête mathématique, il avait suffi à
Danilo d'une lecture du testament pour en saisir
les implications, ainsi qu'elles m'étaient apparues.
Il avait dû commencer dès cet instant à réfléchir
au moyen d'avoir ma peau.

Nerissa... Chère, chère Nerissa qui voulait du
bien à tous, leur léguait avec bonheur des cadeaux
royaux et me vouait du même coup à la plus
pénible des situations.

Danilo, le joueur. Danilo, le brillant jeune
homme qui n'ignorait pas que la maladie
d'Hodgkin était, pour le moment, incurable.
Danilo, le petit intrigant qui commençait par
faire dégringoler la valeur d'une écurie de chevaux de course afin de payer moins de droits
de succession, et qui n'hésitait pas, dès qu'il
découvrait que l'enjeu réel était bien plus
élevé, à passer tout de suite à l'échelon supérieur du crime.

Je me souviens de sa fascination, au fond de
la mine, de ses questions sur la productivité durant
le déjeuner, et de sa partie de tennis avec Sally.
Il voulait décrocher le fromage tout entier, pas
seulement la moitié. Hériter d'abord, épouser
ensuite. Peu importait que la jeune fille n'eût que
quinze ans : d'ici deux ans, ce serait un mariage
tout à fait opportun.

Danilo...

Saisi de tremblements de fureur, je me mis à
tirer vainement sur le volant inerte. Une pareille
cruauté, c'était inconcevable. Comment pouvait-
il... comment quiconque aurait-il pu... enfermer
un homme dans une voiture et le laisser mourir
de chaleur, de soif et d'épuisement ? Ces choses-là

n'arrivent que dans les films… dans un film…
L'Homme dans la voiture.

Il ne faut pas descendre de voiture. C'est ce que nous avait dit Haagner. Ce n'est pas prudent de descendre de voiture. Quelle bonne plaisanterie ! Si seulement je pouvais m'extirper de cette automobile, je courrais volontiers ma chance auprès des lions.

Tous les cris, les hurlements que je poussais devant la caméra… Je m'en souviens, l'esprit froid. La torture mentale que je m'étais imaginée, que j'avais jouée. La désintégration d'une âme, un processus que j'avais interprété en une série d'images successives jusqu'à ce que leur progression conduise inexorablement à la carcasse vide d'un homme ayant dérivé trop loin pour jamais retrouver sa raison, même si son corps en sort indemne.

L'homme de la *Special* était un personnage de fiction. D'un bout à l'autre de l'histoire, on l'avait montré qui réagissait, en toutes circonstances, sur un mode émotif et impulsif qui rendait plausibles ses crises de larmes en situation extrême. Moi, je ne lui ressemblais pas; par beaucoup d'aspects, je lui étais diamétralement opposé. Le problème présent m'apparut essentiellement en termes concrets, et j'avais bien l'intention de m'en tenir à ce point de vue.

Quelqu'un, tôt ou tard, allait me découvrir. Il fallait simplement que je m'efforce, par tous les moyens à ma portée, d'être encore en vie – et de ne pas être devenu fou – quand ils arriveraient.

Le soleil monte et la température dans la voiture en fait autant; mais ce problème passe au second plan.

Ma vessie est pleine à se rompre.

Je peux glisser mes mains au bas du volant pour atteindre la fermeture à glissière de ma braguette et défaire celle-ci, exploit que je mène à bien. Mais je ne peux guère me déplacer sur le siège et même si je réussissais à ouvrir la portière avec mon coude, je n'aurais aucune chance d'épargner l'intérieur de l'automobile. Cela a beau ne rimer à rien, je retarde l'instant inévitable jusqu'à ce que la rétention devienne réellement douloureuse. Mais la répugnance a ses limites. Quand je finis par être contraint de me laisser aller, une bonne partie de l'urine atteint directement le plancher mais une bonne partie aussi n'y parvient pas et je sens l'humidité envahir mon pantalon de l'entrejambe au genou.

Me retrouver assis dans une mare me met extrêmement en colère. En plein illogisme, il me paraît beaucoup plus odieux de m'obliger à me souiller que de m'enchaîner, pour commencer, à l'intérieur de ce véhicule. Pour le film, nous avions escamoté ce problème, le considérant comme secondaire par rapport à celui de la résistance mentale. Nous avions tort. Il en fait partie.

L'autre conséquence est de renforcer ma détermination à ne pas m'avouer vaincu. Ma hargne et ma combativité en sortent stimulées.

Maintenant, je hais Danilo.

La matinée s'avance. La chaleur devient une épreuve et je n'en peux plus d'être réduit à l'immobilité. Pourtant, me dis-je, j'ai passé trois semaines en Espagne dans cette même posture, précisément. Il faisait d'ailleurs beaucoup plus chaud, là-bas. Je refuse résolument de m'attarder sur l'idée qu'en Espagne nous observions une pause pour le déjeuner.

L'heure de ce repas n'est pas loin, à en croire ma montre. Enfin… peut-être quelqu'un va-t-il apparaître.

Et comment parviendrait-il jusqu'ici ? Je me le demande. Devant moi ne se présente aucune espèce de chemin, rien que de petits arbres, des herbes sèches, des broussailles. À gauche et à droite, pareil. Pourtant, il a bien fallu que la voiture roule jusqu'ici, on ne l'a pas parachutée… À force de me dévisser le cou et de scruter l'image dans le rétroviseur, je constate que la voie d'accès est juste dans mon dos. C'est une piste visiblement non entretenue qui se perd, quelque vingt mètres avant l'endroit où je suis. On a fait poursuivre sa route à ma voiture au-delà de ce bout du chemin, droit dans la brousse.

Dans moins d'un mois, il va pleuvoir : les arbres et les herbes vont reverdir, redevenir touffus, la piste ne sera plus que de la boue. Personne ne retrouvera plus mon automobile au cas où elle serait encore là à l'arrivée des pluies.

Au cas où… je serais encore là à l'arrivée des pluies.

Je me secoue. Ces élucubrations mènent tout droit à l'état mental de l'homme du film, et moi, bien entendu, j'ai décidé d'éviter à tout prix cet écueil.

Bien entendu.

Peut-être vont-ils envoyer un hélicoptère ?

Ma voiture est grise, sans rien de voyant. Mais, sûrement, n'importe quel véhicule se distingue aisément, vu du ciel. Il y a un petit aérodrome près de Skukuza, je l'ai vu indiqué sur la carte. Evan va sûrement envoyer un hélicoptère…

Mais où ? Je suis là, face au nord, en pleine brousse, au bout d'une piste abandonnée. Je pourrais être n'importe où.

Peut-être qu'après tout, si je faisais du bruit, quelqu'un m'entendrait… Tous ces gens qui passent sur la route à des kilomètres de là, bien à l'abri dans leur petite voiture au moteur qui ronfle, aux vitres soigneusement closes…

L'avertisseur sonore… Inutile, c'est l'une de ces automobiles où l'avertisseur est coupé en même temps que le contact.

Le contact… non, les clés n'y sont pas.

L'heure du déjeuner est venue, elle passe. Je ne cracherais pas sur une bonne bière bien fraîche.

Un grand bruit de broussailles froissées derrière moi me fait tourner la tête, plein d'espoir, dans cette direction. Voici quelqu'un… N'étais-je pas convaincu qu'ils allaient arriver ?

Pas de bruit de voix, cependant, pas d'exclamations qui m'annoncent ma délivrance. À la vérité, ma visiteuse est sans voix, car c'est une girafe.

Le gratte-ciel fauve aux taches plus claires passe en tanguant tout contre la voiture et commence à tirer sur les quelques feuilles éparses à la cime de l'arbre qui est juste devant moi. Elle est si proche que sa masse éclipse le soleil, oasis d'ombre bienvenue. Immense et gracieuse, elle reste là un moment, à mâchonner paisiblement; de temps en temps, elle s'accorde une pause pour courber sa tête cornue vers mon pare-brise qu'elle contemple au travers de ses cils d'une longueur insolente. La séductrice la mieux armée serait réduite au désespoir par les cils d'une girafe.

Je me surprends à lui parler à haute voix.

– Fais donc un saut à Skukuza, si cela ne te dérange pas, et prie l'ami Haagner de rappliquer ici dare-dare au volant de sa Range Rover.

Le son de ma propre voix me fait sursauter, parce que j'y décèle ma conviction intime. Je pourrais espérer qu'Evan, Conrad, Haagner ou n'importe quel inconnu passant par là me trouvera bientôt, mais je n'en crois rien. Dans mon subconscient, à cause du film, je suis déjà préparé à une longue attente.

Pourtant, je reste persuadé que quelqu'un finira par apparaître. Un paysan monté sur son âne viendra de ce côté, il apercevra la voiture et sauvera l'homme. C'est la seule fin acceptable. Celle à laquelle il faut que je m'accroche, pour laquelle il faut que je travaille.

Car les gens vont forcément se mettre en quête de ma personne. Si je ne me montre pas à la première, on s'interrogera, on enquêtera et on lancera les recherches.

La première, c'est mercredi prochain.

Aujourd'hui, si je ne me trompe, nous sommes vendredi.

Un homme ne peut pas survivre plus de six ou sept jours sans eau.

Je contemple la girafe d'un œil sombre. Elle bat des cils, secoue doucement la tête comme pour marquer son affliction et s'éloigne, de sa démarche élégante.

D'ici mercredi soir, j'aurai subi six jours entiers sans boire. Personne ne me trouvera, même jeudi.

Peut-être vendredi ou samedi, à condition qu'ils soient malins.

Je ne pourrai pas tenir.
Il faut que je tienne.

Après le départ de la girafe emmenant son ombre avec elle, je m'aperçois que le soleil est devenu brûlant. Si je ne fais rien, je vais attraper de méchants coups de soleil.

La partie de mon corps exposée le plus impitoyablement, ce sont mes mains. Comme c'est le cas pour la plupart des automobiles destinées aux pays chauds, le tiers supérieur du pare-brise est teinté de vert pour filtrer la luminosité et je parviens, en penchant la tête en arrière, à mettre mon visage à l'abri des rayons les plus violents, mais ils frappent mon buste et mes mains de plein fouet. Je trouve une solution de fortune en déboutonnant mes manchettes et en glissant chacune de mes mains sous la manche opposée, comme dans un manchon.

Ensuite, je réfléchis à l'opportunité d'ôter mes chaussures et mes chaussettes, et d'ouvrir une fenêtre pour faire entrer de l'air plus frais. Je pourrais lever mes pieds, l'un après l'autre, à la hauteur de mes mains pour enlever mes chaussettes. Je pourrais aussi pivoter suffisamment sur mon siège pour faire tourner la poignée de la fenêtre de gauche avec mes orteils.

Ce n'est pas la crainte d'une attaque animale qui me retient de le faire tout de suite, mais la question lancinante de l'humidité.

La seule eau dont je puisse disposer durant tout le temps que je vais passer ici est celle que contient mon propre corps. Chacun de mes mouvements, chacune de mes respirations appauvrit la réserve en dégageant dans l'air une vapeur invisible. Si je maintiens les fenêtres fermées, la vapeur d'eau restera en grande partie dans la voiture. Si je les ouvre, elle sera aussitôt perdue.

À l'extérieur, après tous ces mois sans pluie, l'atmosphère est sèche et suffocante. Je ne peux pas empêcher mon corps de perdre son humidité, mais il me semble que je dois pouvoir, dans une certaine mesure, la récupérer. Dans un milieu plus humide, cela prendra plus longtemps à ma peau de se crevasser sous l'effet de la déshydratation. En inspirant à nouveau la vapeur d'eau de ma propre haleine, je retarderai légèrement le dessèchement total des muqueuses du nez et de la gorge.

Bref, je n'ouvre pas la fenêtre.

Comme un homme poursuivi par une obsession, je retombe sans cesse sur le jeu de bascule espoir-désespoir d'un sauvetage prochain. Tantôt, je me persuade qu'Evan et Conrad auront lancé des expéditions sur mes traces dès l'instant où ils se seront aperçus de ma disparition, tantôt qu'ils auront simplement vitupéré ma désinvolture et pris tout seuls le chemin du nord, où Evan va se passionner si fort pour les *olifants* qu'Edward Lincoln s'effacera de son esprit avec les nouvelles de l'avant-veille.

Nul autre ne s'étonnera de mon absence. À Johannesburg, tout le monde – les Van Huren,

Roderick, Clifford Wenkins – sait que je suis en balade dans le parc national jusqu'à la semaine prochaine. Je n'ai aucune raison de me manifester. Personne ne s'attend à me voir revenir avant mardi.

Mon seul espoir repose sur Evan et Conrad... et le paysan qui passerait, monté sur son âne.

Au cours de ce long après-midi, il me vient l'idée de vérifier si j'ai encore dans mes poches les objets qui s'y trouvaient la veille. Je ne les ai pas vidées en me déshabillant, je me suis contenté de poser mes vêtements sur le second lit de ma chambre.

L'enquête révèle que mon portefeuille est toujours enfermé dans ma poche revolver, car j'en sens le volume en m'appuyant au dossier. Mais, dans les circonstances présentes, l'argent ne m'est d'aucune utilité.

À force de me tortiller et de me soulever du siège dans la mesure du possible, je parviens à amener devant moi ma poche latérale de droite; son exploration minutieuse fournit comme butin une pochette d'allumettes de l'Iguana Rock, où restent quatre allumettes, un élastique de couleur bleue et un bout de crayon à la mine cassée.

Je remets soigneusement l'ensemble là où je l'ai trouvé et, au prix d'une gymnastique inverse, j'attaque la poche de gauche.

Je n'en extrais que deux choses : un mouchoir... et le tortillon du sac en plastique qui enveloppait hier les sandwichs d'Evan.

« Il ne faut pas jeter un sac en plastique par la fenêtre, avait dit Haagner. Cela peut tuer un animal. »

Et sauver la vie d'un homme.

Précieux, précieux sac en plastique !
N'oubliez pas de vous en munir pour la traversée d'un désert.

Je connais le moyen d'obtenir une demi-tasse d'eau par vingt-quatre heures dans un climat chaud grâce à une feuille de plastique mais il n'est pas applicable pour quelqu'un qui se trouve sanglé en position assise à l'intérieur d'une voiture. Cela suppose de creuser un trou dans la terre, d'avoir un petit objet assez lourd à sa disposition ainsi qu'un récipient pour recueillir l'eau.

Néanmoins, le principe est là, si je parviens à l'adapter.

La condensation.

La méthode du trou dans la terre fonctionne durant la nuit. Avant la chaleur du jour, on creuse un trou profond d'une cinquantaine de centimètres et d'un diamètre légèrement inférieur à la feuille de plastique dont on dispose. On place la tasse dans le fond, au milieu. On étale le plastique sur l'orifice, en fixant les bords à l'aide de la terre qu'on vient de puiser. Pour finir, on dispose une petite pierre ou quelques pièces de monnaie au centre, afin de creuser celui-ci juste au-dessus de la tasse.

Après cela, on attend.

Rafraîchie par la nuit, la vapeur d'eau contenue dans l'air chaud de la cavité fermée se condense en gouttelettes visibles qui se forment sur le plastique imperméable et froid, ruissellent le long de la pente aménagée et s'écoulent dans la tasse.

Un plein sac en plastique d'air chaud doit pouvoir donner, à l'aube, une bonne cuillerée à café d'eau.

Ce n'est pas beaucoup.

Au bout d'un moment, je tire ma main vers moi autant que les menottes le permettent, je me penche en avant en pesant sur la ceinture de sécurité et constate que je parviens juste à souffler dans le sac que je tiens entrouvert dans l'anneau formé par mon pouce et mon index.

Pendant une demi-heure environ, j'inspire par le nez et j'expire par la bouche dans mon sac en plastique. À la fin, des centaines de gouttelettes adhèrent aux flancs du sac... la vapeur d'eau sortie de mes poumons, ainsi recueillie au lieu de se diffuser dans l'air.

Je retourne le sac et le lèche. Il est humide. L'ayant tété de mon mieux, j'en applique la surface fraîche sur mon visage. Peut-être le côté dérisoire de l'exploit accompli est-il cause que j'éprouve mon premier accès de profond accablement.

Je ressors l'élastique bleu et, profitant de l'air encore chaud, j'en remplis le sac que je ferme hermétiquement et que j'attache, à l'aide de l'élastique, au volant. Il pend là comme un ballon de baudruche, se soulevant dès que je le touche.

J'ai eu soif toute la journée, mais pas de façon intolérable.

Après la tombée du jour, des gargouillements dans mes entrailles commencent à exprimer ma faim. Elle non plus n'est pas intolérable.

Le problème de la vessie resurgit et le désastre se renouvelle. Mais je suppose qu'à la longue il s'atténuera : pas d'ingestion, moins d'expulsion.

L'espoir s'inscrit, pour la nuit, dans la catégorie « en suspens ». Douze heures à passer avant que le manège des « viendront-ils, ne viendront-ils pas » se remette à tourner en rond. Je les trouve longues, solitaires et pénibles.

Les crampes que j'avais imaginées pour le film gagnent graduellement pour de bon mon corps tout entier, quand la chaleur du jour se dissipe et que mes muscles se raidissent.

Au début, je me réchauffe au prix d'une nouvelle série de tentatives douloureuses pour arracher le volant de la colonne de direction, qui m'épuisent sans avoir aucun effet sur la voiture.

Ensuite je m'efforce d'élaborer un enchaînement judicieux d'exercices isométriques capables d'entretenir la chaleur et le bon fonctionnement de tous mes muscles et articulations, mais je n'en accomplis qu'une moitié.

Contre toute vraisemblance, je m'endors.

Le cauchemar ne s'est pas dissipé à mon réveil.

Je grelotte de froid, je suis complètement ankylosé et ma faim a sensiblement augmenté.

Je n'ai rien d'autre à me mettre sous la dent que quatre allumettes, un mouchoir et un crayon cassé.

Après un petit moment de réflexion, j'extirpe le crayon et j'entreprends de le mâchonner. Pas vraiment pour sa valeur nutritive, mais pour en dénuder la mine. Grâce à ce crayon, ai-je décidé, je peux causer la perte de Danilo.

Avant l'aube, l'idée me vient lentement que Danilo ne peut pas m'avoir abandonné dans cette voiture à cet endroit sans y être aidé. Il lui fallait quelqu'un pour le remmener après qu'il eut fini de m'attacher. Il ne serait pas reparti à pied à travers le parc, pas seulement à cause du danger représenté par les fauves, mais parce qu'un marcheur aurait été aussi voyant qu'une enseigne lumineuse.

Quelqu'un l'a donc aidé.

Qui ?

Arknold...

Il a fermé les yeux sur la fraude de Danilo, lorsqu'il l'a découverte : il s'est tu, parce que l'insuffisance de ses dispositifs de sécurité menaçait sa licence d'entraîneur. Mais se ferait-il complice d'un assassinat pour s'éviter une suspension ?

Non. Je n'en crois rien.

Barty, pour de l'argent ?
Je ne sais pas.

Quelqu'un... n'importe qui... de chez les Van
Huren, mû par Dieu sait quel mobile ?
Non.

Roderick, pour un scoop ? Ou Katya, ou Mélanie ?
Non.

Clifford Wenkins, pour la publicité ?
Si c'était lui, je ne risquerais rien, car il ne me
laisserait pas ici beaucoup plus longtemps. Il n'ose-
rait pas. La Worldic, pour commencer, n'apprécie-
rait pas qu'on lui livre la marchandise en mauvais
état. J'aimerais bien croire que c'est Wenkins,
mais je n'y parviens pas.

Evan ? Conrad ?
Je ne peux pas l'admettre.
Mais ils étaient là tous les deux. Sur place. Ils
dormaient à côté. À portée de la main pour se
glisser dans ma chambre en pleine nuit et m'endormir à l'éther.
L'un des deux pourrait avoir agi pendant le
sommeil de l'autre. Mais lequel ? Et pourquoi ?

Si c'est Evan ou Conrad, je vais mourir parce
qu'ils sont les seuls à pouvoir me sauver.

Le jour se lève sur cette pensée sinistre et me
prouve la justesse de mes théories sur la vapeur
d'eau. Je ne vois plus le parc national Kruger,
parce que toutes les vitres sont embuées et que
la condensation y perle.
La fenêtre la plus proche de moi est à ma
portée et je la lèche. C'est somptueux. Je viderais
encore volontiers une chope de bière, mais la
sécheresse de ma langue et de ma gorge se fait
aussitôt moins pénible.

Je jette un coup d'œil par la vitre que j'ai léchée. La brousse est toujours là. Sans trace d'êtres humains.

Ma cuillerée d'eau s'est dûment condensée au fond du sac en plastique refroidi. J'entrouvre celui-ci avec précaution sous l'élastique et j'en expulse l'air afin d'éviter que, en se dilatant à nouveau sous l'effet de la chaleur, il ne réabsorbe le liquide précieux. Je me le réserve pour plus tard. Quand la situation s'aggravera.

Toute la précieuse humidité que j'ai dégagée s'étant déposée sur les vitres, j'estime raisonnable de changer l'air à l'intérieur de la voiture. J'enlève d'abord ma chaussette puis tourne la poignée avec mes orteils pour ouvrir de deux ou trois centimètres la fenêtre à ma gauche. Je ne peux pas courir le risque d'être incapable de la refermer : mais, à l'apparition du soleil, je la remonte sans trop de mal. Quand la chaleur croissante assèche les vitres en faisant à nouveau évaporer la buée, j'ai au moins le réconfort de savoir que tout est là, dans mon espace vital.

Le crayon que j'ai mâchonné cette nuit (et glissé ensuite soigneusement sous mon bracelet-montre) pourra bientôt servir. Encore une séance sous mes incisives et le bout de la mine sera suffisamment dénudé pour que je puisse écrire avec.

La seule surface dont je dispose à cet effet est la face interne de ma pochette d'allumettes, juste assez de place pour griffonner « C'est Danilo », mais pas pour la totalité de mon dessein. Heureusement, je m'avise qu'il y a des cartes et les divers fascicules de la voiture dans la boîte à gants, devant le siège du passager et, au prix d'un effort prolongé, en faisant des nœuds avec mes orteils et en gaspillant beaucoup trop de mes précieuses forces, je tiens en main une grande enveloppe en papier kraft et un guide qui contient, à la fin, de belles pages toutes blanches pour les notes qu'on peut être amené à prendre.

J'ai beaucoup à écrire.

15

Danilo avait suggéré à Nerissa de m'envoyer enquêter en Afrique du Sud parce que là, loin de chez moi, il pouvait mieux saisir ou faire naître toutes sortes d'occasions de m'infliger une mort qui paraisse accidentelle. Il m'avait attiré sur ce terrain de chasse au moyen d'un appât auquel il savait que je mordrais : la requête, aux portes de la mort, d'une femme à qui je vouais beaucoup d'affection et de gratitude.

Une mort visiblement criminelle aurait trop risqué de le désigner comme suspect. On enquêterait moins rigoureusement sur un accident, par exemple un court-circuit dans un micro.

Mais Danilo n'était pas là, le jour de Randfontein House, pour la conférence de presse.

Roderick s'y trouvait, ainsi que Clifford Wenkins et Conrad. Plus une cinquantaine d'autres personnes. Si c'était Danilo qui avait fourni le micro, il fallait bien que quelqu'un se fût chargé de me le placer dans les mains. Seule la chance me l'avait fait lâcher.

Au fond de la mine, au moment opportun... Pan sur la tête !

Sans la vigilance et la ténacité d'un contrôleur nommé Nyembezi, ce coup-là aurait marché.

Tandis que cette fois-ci, cela n'aura pas l'air d'un accident : les menottes ne peuvent pas être arrivées là par mégarde.

Peut-être Danilo a-t-il l'intention de venir les récupérer quand je serai mort. Les gens croiront peut-être alors que je me suis égaré dans le parc et laissé mourir dans la voiture plutôt que de courir le risque de partir à pied.

Mais il dispose d'une marge bien étroite du point de vue du temps. Il ne pourra pas attendre une semaine afin d'acquérir la certitude que je sois mort avant son retour, parce que, entre-temps, tout le monde se sera lancé à ma recherche, et quelqu'un risque de me trouver avant lui.

Je soupire, découragé.

Toute cette histoire est invraisemblable.

Comparée à celle d'hier, la chaleur d'aujourd'hui est un véritable enfer. Bien pire qu'en Espagne. Son intensité s'abat sur moi avec une violence telle que tout effort mental me devient impossible, et les crampes me torturent aux épaules, aux bras et au ventre.

Les mains enfoncées dans mes manches, la tête renversée en arrière à l'abri de l'ensoleillement le plus direct, j'endure simplement la situation, car il n'y a rien d'autre à faire.

Mon beau système de gestion de l'humidité m'apparaît maintenant dérisoire. La brutalité du soleil me torréfie minute par minute, et je sais désormais que le délai d'une semaine que j'avais cru pouvoir m'accorder était d'un optimisme délirant. Par une telle température, il suffira d'un jour ou deux.

La soif me brûle la gorge, la salive appartient, dans mon esprit, aux choses du passé.

Quatre litres d'eau dans le radiateur de la voiture... hors de ma portée autant qu'un mirage.

Arrivé au point où je ne peux plus déglutir sans un soubresaut ni respirer sans que l'air m'inflige au passage la sensation d'une râpe, je dénoue le sac en plastique et j'en verse le contenu dans ma bouche. Je fais durer le divin H_2O le plus longtemps possible; je le fais rouler sur mes dents, sur mes gencives, sous ma langue. Il en reste à peine assez pour l'avaler, et quand il n'y en a plus, le désespoir me prend. Il ne me reste plus aucun recours d'ici la tombée de la nuit.

Je retourne le sac pour lécher sa paroi interne, je l'applique sur ma bouche jusqu'à ce que la chaleur l'ait complètement séché, puis je le remplis à nouveau d'air chaud et, les doigts tremblants, je recommence maladroitement à le suspendre au volant au moyen de l'élastique bleu.

Il me vient à l'esprit que le coffre doit toujours contenir divers éléments du matériel de Conrad. Celui-ci va sûrement en avoir besoin et partir à leur recherche, sinon à la mienne.

Evan, pour l'amour du ciel, venez à mon secours !...

Mais non, Evan a filé vers le nord de ce parc qui s'étend sur plus de trois cents kilomètres jusqu'à la frontière le long du grand fleuve Limpopo aux eaux glauques et grasses. Evan est en quête de son enfant de l'Éléphant.

Et moi... assis dans ma voiture, je meurs pour une mine d'or dont je ne voulais pas.

La nuit tombe, la faim me dévore.

Des gens paient pour être affamés dans les centres de séjours diététiques, d'autres font la grève de la faim pour défendre leur cause. Qu'a donc la faim de si particulier ?

Rien. Ce n'est qu'une souffrance.

La fraîcheur de la nuit me fait l'effet d'un baume. Au matin, après avoir léché de mon mieux la surface de vitre à ma portée, je me remets à écrire. J'écris tout ce qui me vient à l'esprit qui puisse apporter le moindre élément d'information quand on enquêtera sur ma mort. La chaleur monte avant que j'aie terminé. J'écris « Embrassez Charlie pour moi » et je signe, parce que je ne suis pas certain d'être encore en mesure d'écrire d'ici ce soir. Puis je glisse les feuillets sous ma cuisse gauche afin qu'ils ne glissent pas sur le plancher hors de ma portée, je replace le petit crayon sous mon bracelet-montre, j'expulse l'air du sac en plastique pour préserver la prochaine cuillerée d'eau et je me demande combien de temps je vais durer.

À midi, je n'ai plus envie de durer.

J'ai tenu jusqu'ici pour ma gorgée d'eau, mais il n'en reste rien et j'accueillerais volontiers la mort. Après que le sac a séché, plaqué sur mon visage, il me faut très longtemps et un effort gigantesque de volonté pour le regonfler et le fixer une fois de plus au volant. Demain, mon dé à coudre d'eau se sera condensé à nouveau, mais je pense que je ne serai même plus en état de le boire.

Nous nous sommes trompés, pour le film. Nous avons attaché trop d'importance à l'état mental de l'homme, en négligeant sa dégradation physique. Nous ignorions que les jambes deviennent comme du plomb et que les chevilles enflent au point de ressembler à d'énormes vesses-de-loup. J'ai enlevé mes chaussettes depuis longtemps, et il est aussi impensable pour moi de m'envoler que de remettre mes chaussures.

Nous ne connaissions pas le supplice de l'abdomen qui se gonfle de gaz, nous ne savions pas que les sangles de la ceinture de sécurité le comprimeraient comme un garrot. Nous n'avions pas deviné que l'orbite se transforme en papier de verre pour l'œil quand les glandes lacrymales sont à sec. Nous avions sous-estimé l'effet qu'exerce sur les muqueuses la déshydratation.

La chaleur écrasante engourdit toutes mes réactions. Il n'y a plus au monde que souffrance, sans aucune perspective qu'elle puisse connaître un terme.

Hormis la mort, évidemment.

Tard dans l'après-midi, un éléphant vient déraciner l'arbre que la girafe avait brouté.

Voilà qui devrait plaire à Evan sur le plan de l'allégorie, me dis-je confusément. Les éléphants sont les indestructibles destructeurs de la nature.

Mais Evan est loin.

Evan... Par pitié, Evan... venez... retrouvez-moi !

L'éléphant consomme sur l'arbre quelques feuilles succulentes, puis s'en va et le laisse, racines en l'air, mourir d'inanition.

Avant la nuit, j'écris quand même encore quelques phrases. Mes mains tremblent continuellement, elles sont nouées de crampes féroces et, pour finir, elles deviennent trop faibles pour tenir le crayon.

Il tombe au sol et roule sous mon siège. Je ne le vois plus et suis incapable de le ramasser avec mes orteils gonflés.

Pleurer, ce serait gaspiller de l'eau.

La nuit revient, mon sens du temps qui s'écoule commence à se brouiller.

Je ne me rappelle plus depuis combien de temps je suis là, ni combien de jours il reste d'ici mercredi.

Mercredi est aussi éloigné de moi que Charlie, je ne verrai ni l'un ni l'autre. En revanche je vois clairement la piscine dans le jardin avec les enfants qui jouent à s'éclabousser, et c'est la voiture qui me semble irréelle, pas la piscine.

Des tremblements secouent tous mes membres durant des heures de suite.

La nuit est froide. Les muscles se raidissent. Je claque des dents. L'estomac crie famine.

Au matin, la condensation est si importante que l'eau coule en petits ruisseaux sur les vitres. Comme auparavant, je ne peux atteindre que la surface réduite à proximité immédiate de ma tête. Je la lèche faiblement. Cela ne suffit pas.

Il ne me reste plus assez d'énergie pour ouvrir la fenêtre afin de renouveler l'air; mais une voiture n'est jamais tout à fait étanche, et ce n'est pas l'asphyxie qui aura raison de moi.

L'inexorable soleil revient, annoncé par une aurore aux doigts de rose, suave prélude à la journée effroyable qui m'attend.

J'ai cessé de croire qu'ils arriveront.

Il ne me reste plus qu'à souffrir jusqu'à la perte de conscience, car dès lors ce sera l'apaisement. Même le délire serait une forme de paix : le pire des tourments est d'être conscient, de comprendre. L'obscurcissement de mon cerveau sera le bienvenu, quand il viendra. Pour moi, ce sera le vrai moment de la mort. La seule mort qui compte. Je ne saurai rien quand mon cœur s'arrêtera de battre et ne m'en soucierai plus.

La chaleur envahit la voiture avec la violence d'un char d'assaut.

Je brûle.

Je brûle.

16

Ils arrivèrent, en fin de compte.

Le soleil était déjà haut quand Evan et Conrad arrivèrent, dans le break. Evan fonçait comme un fou. Survolté, il agitait les bras en tout sens, le cheveu hérissé et le regard plus incandescent que jamais. Conrad, un peu haletant sous sa moustache tombante, s'épongeait le front avec son mouchoir.

Ce fut tout simple, ils vinrent jusqu'à la voiture dont ils ouvrirent la portière. Là, ils s'immobilisèrent. En ouvrant de grands yeux.

Je crus à une apparition, un accès de délire. Je leur rendais leur regard en attendant que ma vision s'effaçât.

– Où diable étiez-vous passé ? me dit alors Evan. Nous vous cherchons depuis hier matin dans tous les coins de ce foutu parc.

Je ne lui répondis pas. J'en étais bien incapable.

– Mon Dieu, mon Dieu, mon petit, mon Dieu... répétait Conrad comme un disque rayé.

Evan retourna s'asseoir au volant du break pour revenir, en roulant à travers les broussailles, le garer à côté de ma voiture. Puis, grimpant à l'arrière, il ouvrit la glacière rouge.

– De la bière, est-ce que ça ira ? cria-t-il. Nous n'avons pas d'eau.

La bière ferait l'affaire.

Il transvasa un peu du contenu d'une boîte

dans un gobelet en plastique qu'il approcha de mes lèvres. C'était frais; vivant; incroyable. Je n'en bus que la moitié, car cela me faisait trop mal d'avaler.

Ouvrant la portière de gauche, Conrad s'assit à côté de moi.

– Nous n'avons pas de clé pour les menottes, dit-il, comme pour s'excuser.

Un soubresaut de rire se produisit au fond de moi, le premier depuis une éternité.

– Pouah ! s'exclama Evan, vous ne sentez pas bon.

Ils comprirent que je n'étais pas en état de parler. Evan versa un peu plus de bière dans le gobelet qu'il me tendit et Conrad descendit de l'auto pour aller fourrager dans le coffre. Il en revint armé de quatre morceaux de fil de fer et d'un rouleau de chatterton avec lesquels il entreprit de me délivrer.

Ayant enfoncé les quatre morceaux de fil de fer dans la serrure des menottes, il en attacha ensemble l'autre extrémité afin d'avoir une bonne prise et tourna. La clé de fortune fit merveille. Au prix d'un chapelet de jurons chaque fois que les bouts de fil de fer se dérobaient et de deux récidives opiniâtres. Conrad réussit à faire jouer le cliquet sur mon poignet droit.

Qu'importait l'autre ? Cela pouvait attendre.

Une fois détachée la ceinture de sécurité, ils voulurent m'aider à sortir de la voiture; mais cela faisait plus de quatre-vingts heures que j'étais assis là et mon corps semblait moulé dans cette position comme un bloc de ciment.

– Je crois qu'il faut que l'un de nous deux aille chercher un médecin, dit Evan.

Mais je secouai la tête de toutes mes forces. J'avais des informations à leur communiquer avant que le monde extérieur ne m'assaille. Au prix d'une série de mouvements saccadés, je parvins à extraire de dessous ma cuisse les papiers que j'avais couverts de notes et je fis le geste d'écrire. Conrad me tendit le stylo à bille en or qu'il avait toujours sur lui, et je griffonnai, sur un coin disponible de l'enveloppe : « *Si vous n'avertissez personne que vous m'avez retrouvé, nous pourrons prendre au piège celui qui m'a amené ici.* »

« *J'y tiens !* » ajoutai-je après un temps de réflexion.

Ayant déchiffré mes pattes de mouche, ils restèrent plantés là, en proie à la perplexité, se grattant la tête.

J'écrivis encore quelques mots :

« *S'il vous plaît étendez n'importe quoi sur le pare-brise.* »

Cette fois, au moins, mon propos était facile à comprendre. Conrad recouvrit l'avant de la voiture d'un épais tapis de sol qui eut rapidement pour effet d'abaisser la température intérieure de plusieurs degrés.

Evan découvrit le sac en plastique suspendu au volant et le détacha de son élastique.

— À quoi diable cela sert-il ?

Je montrai les quelques gouttes d'eau en réserve qui scintillaient dans un coin. Quand il comprit ce que cela signifiait, Evan parut horrifié.

S'emparant de mes pages d'écriture, il se mit à les lire. Je bus encore un peu de bière; je tenais avec peine le gobelet dans mes mains tremblantes mais, à chacune des gorgées que j'avalais difficilement, je sentais la vie revenir en moi.

Evan tendit à Conrad les feuillets qu'il venait de lire. Il me contemplait, muet de saisissement. État inaccoutumé chez le metteur en scène.

— Avez-vous vraiment cru que nous avions pu, Conrad ou moi, contribuer de quelque manière que ce soit à votre abandon dans cette voiture ? demanda-t-il enfin.

Je secouai la tête.

— Vous pouvez aussi rayer de la liste le pauvre Clifford Wenkins, car il est mort. On a repêché son corps dans le Wemmèr Pan samedi après-midi. Il était allé faire un tour en bateau et s'est noyé.

Il me fallut un moment pour assimiler la nouvelle. Plus de bafouillages, pensai-je, plus de paumes moites, plus de petit homme fébrile... le pauvre petit homme...

Je saisis le stylo de Conrad, et Evan me donna pour écrire un de ses éternels carnets.

« *J'aimerais m'étendre. Dans le break ?* »

— Oui, naturellement, s'écria-t-il, visiblement ravi de trouver un prétexte à déployer son activité. Nous allons vous préparer un lit.

Grimpant à nouveau à l'arrière du break, il repoussa d'un côté tout le matériel qu'ils transportaient. Dans l'espace ainsi ménagé, il disposa un matelas composé des banquettes arrière des deux véhicules et improvisa un oreiller avec des vestes et des chandails.

— Le Ritz est à votre disposition, monsieur.

Je tentai de sourire ; à ce moment-là, j'aperçus mon reflet dans le rétroviseur.

Effrayant. J'avais une barbe de trois jours et demi, des yeux enfoncés et rosâtres, et le teint gris et rouge d'un fantôme qui aurait pris des coups de soleil.

Avec plus de douceur que je ne les en aurais crus capables, ils m'aidèrent à m'extirper de la voiture et me portèrent jusqu'au break. Plié en trois, grinçant de toutes mes articulations et en proie à la sensation que ma colonne vertébrale était en train de se rompre, je parvins au bout du voyage ; une fois installé sur la couche de fortune, j'entrepris le processus douloureux et somptueux à la fois qui consistait à m'allonger.

Ayant récupéré le tapis de sol sur ma voiture, Evan l'étala sur le toit du break pour faire barrière à la chaleur.

« *Restez ici, Evan* », écrivis-je encore, parce que je pensais qu'ils pouvaient essayer de bricoler le contact sur mon moteur et partir chercher de l'aide. Comme il paraissait hésitant, j'ajoutai une note un peu dramatique : « *Je vous en conjure, ne m'abandonnez pas.* »

– Seigneur Dieu ! s'exclama-t-il alors. Seigneur Dieu, il n'est pas question de vous abandonner, mon vieux.

Manifestement, il était bouleversé, ce qui m'étonna. Il n'éprouvait même pas d'amitié pour moi ; dans la *Special,* il s'était impitoyablement acharné à me faire souffrir.

Je bus encore un peu de bière, gorgée par gorgée. Je sentais battre au fond de ma gorge l'inflammation des amygdales, mais l'effet lubrifiant du liquide commençait lentement à jouer. Je parvenais mieux à bouger ma langue, et mon impression d'être transformé en un bloc de viande enflée se dissipait graduellement.

Assis à l'avant du break, Evan et Conrad débattaient pour déterminer leur prochaine destination. Ils n'avaient pas de réservation à Skukuza, qui était encore apparemment le campement le plus proche, et deux heures de route nous séparaient des chambres retenues à Satara.

Ce sont les chambres de Satara qui l'emportèrent, et je n'y voyais pas d'inconvénient.

– Autant nous mettre en route tout de suite, dit alors Evan. Il fait une chaleur d'enfer ici, je commence à en avoir assez. Nous trouverons en chemin un coin d'ombre plus accueillant, où nous nous arrêterons pour déjeuner. Il est déjà deux heures passées, j'ai faim.

Je retrouvais enfin le metteur en scène tel que je le connaissais – et que je le détestais. En souriant au fond de moi, j'eus une fois de plus recours au stylo.

« *Repérez soigneusement l'endroit où nous sommes afin de pouvoir y revenir.* »

– Nous enverrons quelqu'un d'autre récupérer la voiture, dit Evan d'un ton impatient. Plus tard.

Je secouai la tête. « *Il faut que nous revenions.* »

– Pourquoi ?

« *Pour prendre au piège Danilo Cavesey.* »

Leurs regards firent l'aller-retour du carnet à mon visage.

– Comment ? demanda simplement Evan.

J'écrivis la réponse. Ils la lurent. Le metteur en scène retrouva son air de surexcitation, et le front de Conrad se plissa sur des supputations de pro, car ce que je leur demandais était tout à fait dans leurs cordes. Puis, à retardement, chacun de son côté fut effleuré par un doute.

– Tu n'y penses pas sérieusement, mon petit ?

Je fis signe que si.

– Et son complice ? demanda Evan. Que comptez-vous en faire ?

« *Il est mort, à présent.* »

– Mort ? répéta Evan, incrédule. Vous ne voulez pas dire… Clifford Wenkins ?

Je hochai la tête. J'étais fatigué. « *Je vous expliquerai tout dès que je pourrai parler.* »

Résignés, ils refermèrent les portières de ma voiture, montèrent dans le break auquel ils firent faire demi-tour et s'engagèrent sur la piste délaissée qui était restée pendant si longtemps, pour moi, un simple reflet dans un miroir oblong de quelques centimètres carrés.

Conrad conduisant, Evan établissait un plan des lieux. Ils étaient apparemment tombés sur moi par chance pure, car ma voiture était à deux kilomètres de l'embranchement d'une section secondaire d'une piste elle-même à l'abandon, ayant conduit autrefois à un point d'eau désormais à sec. Cette piste partait d'une autre qui nous ramena enfin vers le réseau routier autorisé aux visiteurs. Evan m'assura qu'il saurait retrouver le chemin sans aucune difficulté. Ils avaient exploré la veille, a-t-il ajouté, chacune des voies latérales qui se présentaient entre Skukuza et Numbi. Aujourd'hui, ils s'étaient attaqués au territoire aride situé au sud de la Sabie River, et m'avaient enfin découvert au bout de la cinquième des pistes à l'accès interdit qu'ils avaient empruntées.

Après avoir roulé sur une dizaine de kilomètres, nous trouvâmes un bouquet d'arbres qui ménageaient une ombre légère; Conrad arrêta aussitôt la voiture et, sans autre cérémonie, Evan plongea dans la glacière rouge. Elle contenait toujours des sandwichs, des fruits et de la bière.

Je jugeai que je n'étais pas encore prêt pour les sandwichs et les fruits. La bière opérait des miracles. J'en bus à nouveau.

Les deux autres mastiquaient paisiblement, comme si ce pique-nique avait été de pure routine. Ils rouvrirent les fenêtres, en partant du principe que par une température pareille, n'importe quel fauve raisonnable serait en train de faire sa sieste, plutôt que de chercher d'imprudents êtres humains à se mettre sous la dent.

Il ne passait aucune voiture. N'importe quel bipède raisonnable était aussi en train de faire sa sieste dans l'air conditionné d'un campement. Evan était par nature blindé contre la chaleur et Conrad était bien obligé de l'endurer.

« *Qu'est-ce qui vous a déterminés à partir à ma recherche ?* » écrivis-je.

Evan me répondit entre deux bouchées de sandwich au jambon :

– Nous avions sans arrêt besoin du matériel de Conrad que vous aviez dans votre coffre. C'est devenu agaçant. Alors nous avons téléphoné hier matin à l'Iguana Rock pour vous dire que vous étiez un sale égoïste d'avoir décampé en emportant tout.

– Les gens de l'hôtel nous ont affirmé que tu n'étais pas là, enchaîna Conrad. Ils pensaient, nous ont-ils dit, que tu allais passer plusieurs jours dans le parc Kruger.

– Nous n'y comprenions plus rien, renchérit Evan, par rapport à votre petit mot.

« Quel petit mot ? » essayai-je machinalement

d'articuler, mais la parole ne franchissait toujours pas mon larynx, il fallait écrire.

— Le petit mot que vous nous avez laissé, répliqua Evan, impatient, pour nous dire que vous retourniez à Johannesburg.

« *Je n'ai pas laissé de petit mot.* »

Interrompant sa mastication, il resta figé, la bouche pleine, comme dans un arrêt sur l'image au cinéma. Puis il se remit à mâcher.

— Non, dit-il, c'est juste. Vous ne pouviez pas.

— N'empêche que nous, nous l'avons cru, reprit Conrad. C'était un simple bout de papier sur lequel était écrit en lettres capitales : « JE RENTRE À JOHANNESBURG. LINK. » Nous avons d'ailleurs trouvé ce procédé salement grossier et ingrat de ta part, mon petit. Faire ainsi tes bagages et te tirer au petit jour sans même prendre la peine de dire au revoir...

« *Désolé !* »

Conrad rit.

— Après cela, nous avons tenté de joindre Clifford Wenkins parce que nous pensions qu'il saurait peut-être où tu étais, mais, à son numéro, nous sommes tombés sur une femme hystérique qui hurlait qu'il s'était noyé dans le Wemmer Pan.

— Nous avons téléphoné à deux ou trois autres personnes, ajouta Evan. Les Van Huren et ainsi de suite.

« *Danilo ?* »

— Non, dit Evan en secouant la tête. Nous n'avons pas pensé à lui. D'abord, nous n'aurions pas su où le joindre. (Il marqua une pause en avalant une bouchée.) C'est vrai, nous trouvions cela un peu cavalier de votre part de partir sans laisser le moindre repère à quiconque, puis il nous est venu à l'idée que vous aviez pu faire des bêtises, vous perdre dans le parc et ne jamais atteindre Johannesburg. Alors, à force de palabres, nous avons persuadé les employés du bureau d'accueil à Satara de vérifier à quelle heure vous aviez franchi le poste de Numbi en partant, vendredi matin; or, le gardien a dit que, d'après leur registre, vous ne l'aviez pas franchi du tout.

— Nous avons donc appelé Haagner, mon petit, pour lui exposer la situation, mais il n'a pas eu l'air trop inquiet. À l'en croire, il arrive souvent que des gens passent le contrôle de Numbi sans montrer les papiers requis, bien qu'on soit censé présenter le reçu prouvant qu'on a payé son séjour dans le campement. Selon Haagner, « M. Lincoln n'aurait eu qu'à dire que ses deux compagnons n'étaient pas encore partis et qu'ils avaient tout réglé pour lui. Les gens de Numbi auraient vérifié auprès de ceux de Skukuza et laissé passer M. Lincoln. » Il a dit aussi qu'on ne pouvait pas se perdre dans le parc. Tu es quelqu'un de raisonnable, a-t-il affirmé, et seuls les idiots se perdent : les gens qui roulent sur des kilomètres de pistes interdites jusqu'à ce que leur voiture tombe en panne.

J'en déduisis qu'Evan et Conrad avaient précisément cru que tel était mon cas. Mais je n'allais pas le leur reprocher.

Ils ouvraient des boîtes de bière qu'ils lampaient à longues goulées. Moi, je continuais d'humecter mes lèvres, ma langue, ma gorge.

— C'est sûr que nous avions payé vos frais de séjour à Skukuza, reprit Evan d'un ton accusateur. Y compris la fenêtre que vous y aviez cassée.

Il suffit que je me saisisse du stylo...

— Bon sang ! s'écria Evan avant même que la bille ait roulé sur le papier, mais c'est Danilo Cavesey qui a brisé la fenêtre... pour pénétrer dans votre *rondavel*.

C'était là ma supposition, en effet; puisque la porte était fermée à clé. Comment avait-il réussi à ne pas me réveiller ?

— Tu vaux un bon prix, mon petit, commenta Conrad pour conclure le récit. C'est pourquoi nous avons décidé qu'il convenait peut-être de consacrer un jour ou deux à ta recherche.

– Nous avons vu un superbe troupeau d'éléphants hier après-midi, ajouta Evan pour montrer que le retard occasionné n'avait pas été tout à fait du temps perdu. Et nous allons peut-être en rencontrer d'autres aujourd'hui.

Soutenu par eux deux, je pris possession de mon *rondavel* à Satara et leur demandai d'arrêter l'air conditionné, car pour moi la température semblait glaciale dans la case. Si j'avais froid, mes membres allaient encore se contracter et mon corps n'en serait que plus douloureux… Je m'allongeai sur un des lits, blotti sous trois couvertures, en piteux état.

Conrad m'apporta un verre d'eau. Evan et lui restaient plantés là d'un air désemparé.

– Nous allons vous aider à enlever ces vêtements qui empestent, suggéra le metteur en scène. Pour le moment, un cochon serait gêné dans votre voisinage.

Je secouai la tête.

– Si nous vous apportions de l'eau, aimeriez-vous vous laver ?

Nouvelle dénégation.

Evan plissa le nez.

– Alors, vous ne nous en voudrez pas si nous ne dormons ni l'un ni l'autre dans cette chambre avec vous ?

Je fis signe que non. Ma propre odeur m'incommodait moi-même, maintenant que j'avais respiré tout cet air frais.

Conrad alla à la boutique du campement, en quête de quelque chose que je puisse avaler; il en rapporta un demi-litre de lait et une soupe au poulet en boîte. Malgré le manque d'ouvre-boîtes, ils réussirent à transvaser la soupe dans un pot. Comme ils n'avaient rien non plus pour la faire chauffer, ils y versèrent la moitié du lait et remuèrent la mixture jusqu'à ce qu'elle fût fluide. Ils en remplirent alors un verre que je bus petit à petit, ému de leur gauche sollicitude.

– Bon, alors, si nous mettions votre piège au point, s'empressa de suggérer Evan, convaincu qu'ils avaient fait pour moi tout ce qu'ils pouvaient pour le moment.

Cette fois, un semblant de parole sortit de ma gorge :

– Danilo est à l'hôtel Vaal Majestic.

– Qu'avez-vous dit ? demanda Evan. Dieu soit loué que vous retrouviez votre voix, mais je n'ai pas compris un traître mot.

J'écrivis mon information.

– Ah, bon. Très bien.

– Téléphonez demain matin, dis-je, racontez-lui…

Je produisais une sorte de croassement fêlé. Evan m'interrompit.

– Écoutez, nous irons plus vite si vous écrivez cela.

J'acquiesçai.

« *Au saut du lit, racontez à Danilo que vous allez essayer de découvrir où je suis passé, parce que j'ai gardé le matériel de Conrad dans mon coffre. Dites-lui que j'ai aussi le porte-mine en or de Conrad dans ma poche, et qu'il tient particulièrement à le récupérer. Ainsi que vous, de votre côté, vos carnets personnels, car vous avez besoin des notes que vous y aviez prises. Dites-lui que vous êtes un peu inquiets parce que je vous avais fait part d'une théorie selon laquelle quelqu'un que je connaissais avait tenté de me tuer à diverses reprises.* »

Ayant lu, Evan parut dubitatif.

– Êtes-vous sûr que cela va le faire venir ?

« *À sa place, courriez-vous le risque que je puisse laisser mes soupçons par écrit, si vous saviez que j'ai crayon et papier à ma disposition ?* »

– Non, admit-il, après un instant de réflexion.

« *D'ailleurs, je l'ai fait.* »

– C'est vrai.

Conrad s'assit lourdement dans le fauteuil, en hochant la tête.

– Et après, mon petit ?

« *Ce soir, appelez Quentin Van Huren. Dites-lui où et dans quel état vous m'avez retrouvé. Dites-lui que j'ai rédigé quelques notes. Lisez-les-lui. Expliquez-lui le piège que je tends à Danilo. Demandez-lui d'avertir la police. L'autorité qu'il détient lui permettra de faire le nécessaire.* »

– Bien sûr.

Avec cette énergie inépuisable qui le caractérisait, Evan se munit de mon paquet de feuillets griffonnés dans la voiture et de son carnet contenant tous mes plans, et il partit aussitôt téléphoner depuis le bâtiment principal.

Resté avec moi, Conrad alluma un cigare, sans doute pour lutter contre ma puanteur.

– Tu sais que c'est Evan qui a insisté pour qu'on parte à ta recherche, mon petit. Il était dans un état frénétique. Tu le connais, quand il s'est mis une idée en tête, il ne renonce jamais. Nous avons exploré une par une les pistes les plus invraisemblables… je trouvais ça complètement idiot… jusqu'au moment où nous sommes tombés sur toi.

– Qui avait parlé à Danilo, demandai-je lentement en m'efforçant d'être intelligible, du scénario de *L'Homme dans la voiture* ?

Le chef opérateur haussa les épaules, un peu renfrogné.

– Peut-être bien que c'est moi… Aux courses, à Germiston. Tout le monde m'interrogeait sur ton dernier film… les Van Huren, Clifford Wenkins, Danilo… tout le monde.

Peu importait. De toute façon, Wenkins pouvait très facilement avoir accès au synopsis par la Worldic.

– Vois-tu, mon petit… dit Conrad d'un air songeur. Nous étions complètement à côté de la plaque pour ton maquillage. (Il tira sur son cigare.) Note bien qu'avec la gueule que tu as en ce moment, ta cote de popularité en prendrait un sacré coup.

– Merci.

Il sourit.

– Encore un peu de soupe ?

Evan resta absent un long moment et, quand il revint, il brûlait d'enthousiasme pour mon affaire.

– Van Huren veut que je le rappelle plus tard. Il m'a posé des questions un peu incohérentes quand j'ai fini mon histoire. (Evan haussait les sourcils, étonné qu'il ait fallu du temps à son interlocuteur pour assimiler les charmantes nouvelles qu'il lui donnait.) Il a dit qu'il allait réfléchir à la meilleure façon d'agir. Ah, oui, et puis il m'a chargé de vous demander comment vous étiez parvenu à la conclusion que le complice était Clifford Wenkins.

– Clifford Wenkins aurait volontiers...

Evan me coupa d'un ton impatient.

– Écrivez. On croirait entendre un corbeau atteint de laryngite.

Je repris le stylo.

« *Clifford Wenkins était prêt à faire n'importe quoi pour un coup de publicité. Par exemple, échanger le matériel d'enregistrement et le micro. À mon avis, il ne pensait pas que quelqu'un risquait d'y laisser sa peau, mais, si je prenais une décharge électrique au beau milieu d'une conférence de presse, mon nom allait paraître en gros dans le journal avec le motif de mon voyage. Je crois que c'est Danilo qui lui avait fourré cette idée dans la tête et fourni le matériel bricolé. Wenkins a paru horrifié quand Katya a reçu ce choc terrible, et je l'ai vu ensuite qui téléphonait, d'un air très inquiet. J'ai cru qu'il appelait la Worldic, mais plus proba-*

244

blement, il racontait à Danilo que leur machination avait mal tourné. »

– C'était encore mieux, mon petit, du point de vue de la Worldic, me fit observer Conrad.

« C'est la Worldic qui exigeait impitoyablement de Clifford Wenkins qu'il invente des coups publicitaires. Danilo n'avait donc qu'à lui suggérer de me kidnapper pour m'enfermer dans ma voiture, comme dans le scénario de mon dernier film, pour qu'il ait la bêtise de marcher.

« Au bout de trois jours dans mon étuve, je ne pensais plus que ce pouvait être Clifford Wenkins qui avait été le complice de Danilo parce que je savais qu'il ne m'aurait pas abandonné là aussi longtemps. Mais, une fois Wenkins liquidé, seul son inspirateur savait où j'étais. Il n'avait plus qu'à me laisser moisir...

« Quand on découvrirait mon corps, les gens reconstitueraient l'idée du coup publicitaire arrangé par l'homme de la Worldic et moi, de connivence; coup monté qui aurait eu une issue fatale à cause de la noyade de Wenkins, personne n'étant plus là pour déclencher les recherches prévues.

« Je présume que c'est dans la voiture de Clifford que Danilo et lui sont venus, afin que les registres du poste de contrôle de Numbi portent la trace de son passage. »

Evan m'arracha pratiquement le carnet des mains, après avoir tourné en rond comme un loup en cage tout le temps que j'écrivais. Ayant lu jusqu'au bout, il le tendit à Conrad.

– Vous rendez-vous compte, me demanda-t-il, que cela revient à accuser Danilo d'avoir liquidé Clifford Wenkins afin qu'on ne puisse vous retrouver à temps ?

Je hochai la tête.

– Oui, je crois que c'est ce qu'il a fait, croassai-je. Pour une mine d'or.

Laissant de l'eau et de la soupe à ma portée, ils allèrent dîner au restaurant. À leur retour, Evan m'informa qu'il avait rappelé Van Huren.

– Votre ami a un peu mieux saisi toute l'affaire, annonça-t-il d'un ton condescendant. Je lui ai lu ce que vous aviez écrit en ce qui concerne Wenkins, il pense que vous avez sans doute raison. Il m'a dit qu'il était bouleversé au sujet de Danilo parce que ce garçon lui avait plu, mais qu'il ferait ce que vous demandiez. Il va venir ici lui-même... Son avion le déposera dès demain matin sur le terrain de Skukuza. Les flics seront au courant. Conrad et moi, nous irons là-bas à leur rencontre à tous, et nous leur montrerons le chemin, si Danilo a l'air d'avoir mordu à l'hameçon.

« Nous appellerons le jeune homme demain matin. Même si, de son côté, il prenait un avion pour aller plus vite, tout devrait être en place à son arrivée. »

La nuit fut douce, comparée à celles qui avaient précédé, mais ce n'était pas encore le paradis. Au matin, j'avais quand même repris des forces; les crampes étaient passées et le feu dans ma gorge n'était plus de nature à faire reculer un forgeron. Je me traînai jusqu'à la salle d'eau, cassé en deux comme un vieillard puis je mangeai les bananes que Conrad m'avait apportées pour mon petit déjeuner.

Evan était allé téléphoner à Danilo et, peu après, le metteur en scène arriva avec un sourire satisfait :

– Il était là. Je crois qu'on peut être tranquille, il a tout gobé. Il a eu l'air très alarmé... la voix qui flanche, ce genre de détails. Il m'a demandé pourquoi j'étais si sûr que vous aviez le porte-mine en or. Vous vous rendez compte ? J'ai dit que Conrad vous l'avait prêté jeudi soir et que je vous avais vu le mettre dans votre poche. Et que vendredi matin, vous aviez filé à Johannesburg sans l'avoir rendu !...

17

Je n'ai jamais rien fait de plus dur dans ma vie que de retourner m'asseoir dans cette voiture.

Nous y étions à dix heures et demie du matin; Evan et Conrad s'affairèrent à mettre en place divers petits dispositifs, dont une sonnette d'alarme qui m'avertirait de l'arrivée de Danilo.

Une demi-heure plus tard, quand ils eurent terminé, nous étions déjà en pleine rôtissoire. Je bus la moitié de la bouteille d'eau que nous avions apportée de Satara et j'avalai une autre banane.

Evan trépignait.

– Allez, allez! Nous n'avons pas la journée devant nous. Il faut qu'on parte vite pour Skukuza accueillir Van Huren.

Je descendis du break pour aller péniblement prendre place au volant de la voiture. J'attachai la ceinture de sécurité.

La torture recommença aussitôt.

Conrad s'approcha, armé des menottes, et ma gorge se noua. J'étais incapable de le regarder, de regarder Evan, de regarder quoi que ce soit. Incapable... tous mes nerfs et mes muscles s'insurgeaient.

Incapable.

– Tu n'es pas obligé, Link, dit Conrad qui m'observait. C'est ton idée à toi, mon petit. Il va se pointer, que tu sois ici ou pas.

Evan l'interrompit violemment :

– N'essaie pas de le dissuader, maintenant qu'on s'est donné tout ce mal. Si Link n'est pas dans la voiture à l'arrivée de Danilo, comme il l'a fait remarquer lui-même, il n'existera pas de preuve.

Conrad hésitait encore. C'était ma faute.

– Finissons-en, dit encore Evan.

Je passai mon bras dans le volant. Je tremblais.

Conrad referma d'abord le bracelet sur mon poignet droit, puis sur le gauche. Un frisson me secoua de la tête aux pieds.

– Mon petit… commença Conrad, inquiet.

– Allons-y ! s'exclama Evan.

Je me tus. Quoi que j'entreprenne de dire, me sembla-t-il, ce qui sortirait de ma bouche serait un cri pour supplier qu'on ne m'abandonne pas. Il fallait qu'ils m'abandonnent.

Evan claqua la portière d'un geste brusque et, d'un signe de tête, il intima à Conrad l'ordre de le suivre. Le chef opérateur obtempéra, en marchant à reculons, pour voir si je ne le rappelais pas.

Ils remontèrent dans le break, firent demi-tour et partirent. Le silence du parc torréfié s'abattit sur moi.

Si seulement je n'avais pas eu l'idée de ce traquenard ! J'avais l'impression qu'il n'avait jamais fait aussi chaud dans la voiture, une chaleur intolérable. En une heure de temps, malgré la quantité d'eau que j'avais absorbée le matin, la soif atroce revint.

Les crampes me reprennent dans les cuisses. Mon échine se révolte. La tension me noue les épaules.

Je me maudis.

Imaginons qu'il prenne la journée entière pour venir. Imaginons que, au lieu de l'avion, il choisisse la voiture. Il était huit heures du matin quand Evan lui a téléphoné. Cinq heures de route au moins jusqu'à Numbi, une heure et demie de plus pour arriver jusqu'à moi… Il risque de ne pas être là avant trois ou quatre heures de l'après-midi, ce qui signifie pour moi cinq heures à passer dans la voiture...

Les mains enfoncées sous mes manches de chemise, je renverse la tête en arrière pour m'abriter du soleil.

Je n'ai plus la ressource de penser à la vapeur d'eau ni au sac en plastique pour m'occuper l'esprit. Les feuillets couverts de griffonnages au crayon reposent sur mes genoux, agrafés ensemble au moyen du porte-mine en or de Conrad, frère jumeau de son stylo à bille. Je ne suis plus en proie au mouvement de bascule entre l'espoir et le désespoir, ce qui est un soulagement pour l'esprit, mais laisse une place imprévue aux sensations brutes.

Chaque minute se traîne.

La première du film est prévue pour demain. Je me demande qui s'occupe de prendre toutes les dispositions, maintenant que le pauvre Clifford Wenkins a sombré dans son linceul liquide.

Serai-je à temps au Klipspringer Heights Hotel ? Dans vingt-quatre heures, rasé, lavé, reposé, désaltéré et alimenté, il n'est pas impossible que j'y parvienne. Tous ces gens qui ont versé leurs vingt rands pour une place... ce ne serait pas bien de ne pas être là, si c'est en mon pouvoir...

Le temps s'étire en longueur. Je regarde ma montre. Elle n'y met pas du sien.

Une heure de l'après-midi. L'après-midi.

Conrad m'a installé un dispositif équipé d'un bouton sur lequel il me suffit d'appuyer si je n'en peux plus. Mais si j'appuyais, tous mes efforts d'aujourd'hui seraient perdus. Si j'appuyais sur ce bouton, les cohortes afflueraient à mon secours mais Danilo apercevrait l'activité déployée autour de la voiture et ne s'approcherait pas.

Je préférerais que Conrad n'ait pas insisté pour

mettre ce système d'appel à ma disposition. Evan a décrété que c'était nécessaire, pour que Van Huren, la police et lui sachent de façon certaine le moment où Danilo arriverait, au cas où ils l'auraient manqué sur la route.

Un coup de sonnette pour leur annoncer que Danilo est là.

Deux coups, qu'il est reparti.

Une série de coups brefs les ferait accourir n'importe quand à mon secours et je serais délivré.

Je vais attendre encore dix minutes avant de renoncer.

Encore dix minutes de plus.

Et dix minutes de plus.

Dix minutes, on peut les endurer.

La sonnette d'alarme de Conrad résonne dans mon oreille comme le bourdonnement d'une guêpe et me galvanise.

La voiture de Danilo vient se ranger près de la mienne, là où était le break tout à l'heure.

J'appuie sur le bouton fixé à portée de mes doigts avec du chatterton, sous la colonne de direction.

Je fais appel à tout mon art de comédien pour avoir l'air d'être aux portes de la mort; je n'ai guère à puiser dans mon imagination pour compléter l'expérience vécue ici même. Un couple de vautours est opportunément venu battre des ailes et décrire une spirale de plus en plus rapprochée, pour finalement se percher sur un arbre à proximité. Je les contemple sans grande sympathie, mais leur vision a de quoi donner confiance à Danilo.

Il ouvre la portière et, sous la fente de mes paupières, je vois son mouvement de recul quand ses narines affrontent la puanteur exacerbée par la chaleur. Cela valait la peine de ne pas me laver ni me changer. Rien, dans mon aspect, n'indique

que j'aie pu bouger d'ici depuis l'instant où il m'y a abandonné quatre jours plus tôt, tout apporte la preuve du contraire.

Il contemple ma tête renversée sur le dossier, mes mains inertes, mes pieds nus et boursouflés. Il ne manifeste aucune trace de remords. Le soleil nimbe d'un halo... d'or sa chevelure blonde. L'archétype du jeune Américain au beau visage régulier, aussi lisse, aussi froid, aussi impitoyable qu'un bloc de glace.

Il se baisse pour s'emparer des papiers gisant sur mes genoux, en détache le porte-mine qu'il jette sur la banquette arrière, lit ce que j'ai écrit, jusqu'à la dernière ligne.

— C'est donc vrai, dit-il, tu avais deviné... tu avais tout laissé par écrit... Tu étais un gros malin, Ed Lincoln, beaucoup trop malin pour ton bien. Dommage pour toi, personne n'aura jamais l'occasion de lire ça...

Il s'approche de mes yeux mi-clos pour s'assurer que je le vois, que je l'entends. Puis, sortant son briquet, il enflamme le coin des feuillets.

Je m'agite faiblement sur mon siège, marquant une rage impuissante. Cette manifestation le ravit.

Il sourit.

Il fait passer les papiers d'une main dans l'autre pour les brûler intégralement, puis il en écrase les cendres dans l'herbe sèche pour les réduire en poussière.

— Et voilà ! s'écrie-t-il joyeusement.

Je produis un faible croassement. Il se penche.

— Délivrez-moi...

— Tu rigoles ! (Portant la main à sa poche, il en tire un trousseau de clés.) Les clés de la voiture, dit-il en me les faisant tinter sous le nez. Les clés des menottes.

— Je vous en supplie...

— Ta mort me rapporte trop pour que j'y renonce, mon vieux. Navré et tout. Mais c'est comme ça.

Il remet les clés dans sa poche, referme la

portière et, sans un coup d'œil en arrière, s'éloigne au volant de son automobile.

La pauvre Nerissa, moi qui espérais qu'elle mourrait avant d'avoir appris la vérité sur Danilo... mais la vie n'est pas toujours tendre.

Un moment plus tard, quatre véhicules apparurent dans mon champ de vision et s'immobilisèrent en désordre autour de moi : le break d'Evan et de Conrad; une limousine avec chauffeur dans laquelle était assis Van Huren; deux voitures de la police, dont la première transportait, ainsi que je n'allais pas tarder à le découvrir, leur photographe et leur médecin, et la seconde, trois gradés... plus Danilo Cavesey.

Ils mirent tous pied à terre, au moins un repas et demi pour n'importe quel lion passant par là ! Mais les animaux sauvages se montrèrent d'une grande discrétion. En la circonstance, Danilo les avait tous surpassés en férocité.

Conrad se précipita pour ouvrir grand ma portière.

— Ça va, mon petit ? demanda-t-il, anxieux.

Je fis signe que oui.

— Mais enfin, je vous répète que je venais juste de le découvrir ! protestait Danilo avec véhémence et d'un ton vertueux. J'allais chercher du secours.

— Ben voyons, marmonnait Conrad en s'armant à nouveau de ses bouts de fil de fer.

J'interrompis son geste :

— Il a la clé des menottes dans sa poche.

— Tu ne parles pas sérieusement, mon petit ?

Ayant eu confirmation du contraire, il courut transmettre cette information aux policiers. Après une brève bousculade, ceux-ci trouvèrent le trousseau. Les clés des menottes et de la voiture. À présent, M. Cavesey aurait-il l'obligeance d'expliquer pourquoi il s'en allait alors qu'il avait dans sa poche de quoi délivrer M. Lincoln ?

M. Cavesey fulminait et campa sur ses positions : il était parti chercher du secours.

Evan, qui vivait un grand moment, se dirigea vers l'arbre déraciné par l'éléphant. De ses branchages, il extirpa la caméra Arriflex vissée sur son pied.

— Tout ce que vous avez fait ici, nous l'avons filmé, annonça-t-il à Danilo. Link avait un câble qui aboutissait dans la voiture, il n'a eu qu'à mettre la caméra en marche à votre arrivée.

Conrad récupéra son meilleur magnétophone sous la voiture et débrancha le micro ultra-sensible placé dans la contre-porte.

— Tout ce que vous avez dit ici, reprit-il en écho, avec une satisfaction assez marquée, nous l'avons enregistré. Link n'a eu qu'à mettre le magnétophone en marche à votre arrivée.

Les policiers exhibèrent une paire de menottes bien à eux qu'ils passèrent aux poignets de Danilo, dont le teint avait viré au livide sous le hâle.

Quentin Van Huren s'approcha alors de ma voiture et se pencha vers moi. Conrad avait oublié un petit détail : rapporter le trousseau de clés pour me délivrer. J'étais toujours assis et prisonnier, au même point qu'avant.

— Miséricorde... s'écria Van Huren d'un air atterré.

Je lui adressai un sourire de guingois en secouant la tête.

— Miséricorde ! répétai-je.

Ses lèvres bougeaient sans qu'il en sortît aucun son.

L'or, la cupidité et les garçons dorés sur tranche... un mélange absolument désastreux.

Evan allait et venait en se rengorgeant, l'air important, survolté et satisfait, comme s'il avait mis tout cela en scène. Mais il s'aperçut soudain que j'étais toujours attaché et, exceptionnellement, il fit preuve d'un peu de compassion. Il alla chercher la clé des menottes et l'apporta.

Il resta planté là pendant une seconde à côté de Van Huren, les yeux rivés sur moi comme s'il découvrait quelque chose. Pour la toute première fois, il eut un sourire qui exprimait une trace d'amitié.

– Coupez ! dit-il. C'est la dernière prise pour aujourd'hui.

THIAM-
6785384
6139064

2630

Composition Communication à Champforgeuil
Impression Brodard et Taupin
à La Flèche (Sarthe) le 15 juin 1989
1375B-5 Dépôt légal juin 1989
ISBN 2-277-22630-0
Imprimé en France
Editions J'ai lu
27, rue Cassette, 75006 Paris
diffusion France et étranger : Flammarion